Tim
Hans
D0513873
José
Jochem
Carolina
Bram
Ankie
Tjerk
maaike

Het achtste groepie tegen het soepie

Jacques Vriens

Het achtste groepie tegen het soepie

Met tekeningen van Annet Schaap

Van Holkema & Warendorf

Voor Gilles Jaspars

Negentiende druk 2007

Eerder verschenen als *De zesde tegen het soepie*
ISBN 978 90 269 1111 8
NUR 283

Unieboek BV, Postbus 97, 3990 DB Houten

www.unieboek.nl
www.jacquesvriens.nl

Illustraties: Annet Schaap
Vormgeving omslag: Ton Ellemers

‘Die stomme zevende-groepers’

Met een uitgestreken gezicht kwam Sandra groep acht binnen.
Meester Willem Vonk stond net iets uit te leggen over kommabreuken en kalkte het bord vol sommen.
Zachtjes liep Sandra naar haar plaats. Net toen ze wilde gaan zitten, draaide meester Vonk zich om.
‘Wat is dìt nu?’ vroeg hij verbaasd. Hij had zo ingespannen staan uitleggen dat zijn bril op het puntje van zijn neus was gezakt. Met grote ogen keek hij over zijn bril heen naar Sandra.
De hele klas schoot in de lach.
‘Ik moest naar de w.c.,’ antwoordde Sandra op een toon alsof ze het belachelijk vond dat Vonk ernaar vroeg.
De meester zuchtte: ‘Je weet dat je onder uitleg niet zo maar de klas uit mag. Hoe vaak moet ik dat nog zeggen?’
‘Ik moest echt heel nodig.’
‘Dan kun je dat zeggen. Als je aan het werk bent, mag je gaan wanneer je wilt. Maar niet onder een uitleg. Dan vraag je het even.’
‘Ja maar, ik deed het bijna in mijn broek.’
De hele klas zat nu te gniffelen. Van achter uit de klas riep Hans: ‘Je kunt beter een luier aandoen!’
‘Met een plastic broekje,’ voegde zijn buurman Tim eraan toe.
Meester Vonk schudde zijn hoofd en zei treurig: ‘Wat zijn we weer geestig vandaag.’ En toen, met een diepe zucht: ‘We gaan weer verder met die ellendige kommabreuken.

Wie snapt het nog niet?'
Aarzelend gingen er een paar vingers omhoog.
De meester keek de klas rond en zag dat er steeds meer vingers bij kwamen. Zogenaamd wanhopig greep hij met zijn beide handen naar zijn hoofd en kreunde: 'Ik word gek!'
'Wij ook,' zei Hans droog. 'Van die sommen.'
'Ik begrijp het niet,' ging Vonk verder. 'Volgens mij heb ik het goed uitgelegd, maar jullie snappen er niks van. Hoe komt dat? Doe ik het dan toch niet goed?'
Walter, die vooraan bij de tafel van de meester zat, stak zijn vinger op.
'Ja, Walter.'
'Het is veel te warm, meester.'
Dat was waar. Het was eind februari, maar het leek wel hartje zomer.
'Goed,' antwoordde de meester, 'dan wacht ik met de uitleg tot het vriest dat het kraakt. Gaan jullie nu maar met je weektaak verder.'
De hele klas begon te mopperen. Daar hadden ze helemaal geen zin in.
Willem Vonk maakte snel een einde aan het gemopper: 'Niet zeuren. Als er een beetje goed gewerkt wordt, dan gaan we het laatste deel van de middag naar buiten om te slagballen.'
Meester Vonk ging vlak bij het groepje van Walter aan zijn tafel zitten en wachtte tot het stil werd.
Walter stak zijn duim op en fluisterde: 'Goed gedaan, Vonkie. Handige truc. Net als mijn moeder. Die zegt altijd: Als je je bord leegeet, krijg je een lekker toetje.'
Vonk grinnikte: 'Nou, schiet op. Aan het werk.'
Algauw was het rustig in de klas en hoorde je alleen het zachte gefluister van de meester die uitleg gaf aan kinderen

die bij zijn tafel kwamen.
Sandra, die zag dat Vonk niet meer op de klas lette, schoof voorzichtig een briefje naar Ankie: 'Er zitten twee jongens van groep zeven in het schriftenhok. Ze mogen opruimen van Dik. Zullen we de deur op slot doen?'
Ankie knikte enthousiast en draaide zich om naar het groepje van Hans en Tim. Die zaten bijna allemaal heel serieus te werken.
Hans liet zich een paar sommen uitleggen door Michael, die er ook bij zat en bekend stond als de knapste van de klas.
Tim had zijn atlas voor zich en leerde de plaatsen van Azië.
De enige, die maar zo'n beetje voor zich uit zat te staren, was Otto. Hij had zijn weektaak bijna af, behalve rekenen en hij was nu bezig moed te verzamelen daaraan te beginnen. Hij haatte rekenen.
Otto zag hoe Ankie met een briefje zwaaide. Hij stootte de andere jongens aan.
Tim stond op en met zijn atlas in de hand liep hij naar het groepje van Sandra, Ankie en Maaike. Hij deed net of hij een plaats wilde vragen aan een van de meisjes.
'Waar ligt de Jang-tse-kiang?' fluisterde hij.
'Hier,' zei Ankie en tegelijkertijd legde ze een briefje in de atlas.
Rustig wandelde Tim terug naar zijn plaats.
Het briefje ging rond in de groep.
Ankie stond op en liep naar de gang om zogenaamd naar de w.c. te gaan. Dat mocht nu, want ze waren aan het werk.
Op de gang wachtte ze even en algauw volgde Tim.
'Kom op,' zei hij, 'we zullen het soepie uit groep zeven eens te grazen nemen.'
Het schriftenhok lag aan het eind van de gang. Daar was een smal zijgangetje, waarin naast elkaar drie hokken wa-

ren. Eén ervan was het magazijn voor de schriften, potloden en boeken, dat de kinderen het schriftenhok noemden. Mevrouw Dik, die de directrice van de school was, had groep zeven. Haar kinderen zorgden voor het schriftenhok en mochten het zo af en toe opruimen.
Tim en Ankie bleven aan het einde van de gang voorzichtig staan en gluurden om de hoek van het zijgangetje. Ze hoorden nu duidelijk stemmen.
'Het zijn Jochem en Tjerk,' fluisterde Tim. 'We treffen het.'
Een week geleden was er weer eens een knallende ruzie geweest tussen groep zeven en acht. Jochem had toen flink geknokt met Hans en natuurlijk verloren.
Hans was de grootste jongen van groep acht. Met één duwtje lag Jochem op de grond. Jochem was ontzettend kwaad geworden en was Hans opnieuw aangevlogen. Het kostte Hans deze keer iets meer moeite, maar uiteindelijk had hij Jochem op de grond gekregen.
Mevrouw Dik was erbij gekomen en had Hans straf gegeven. Niet eens naar aanleiding van de vechtpartij, maar voor wat daarna gebeurde: Hans had Jochem overeind getrokken en gezegd: 'Zo, kleine uk, niet meer vechten met de grote jongens.' Daarna had hij zich omgedraaid naar mevrouw Dik, die nogal boos was, en tegen haar gezegd: 'Maak u niet dik, mevrouw Dik.'
Het was bedoeld als grap. Bij meester Vonk kon je dit soort grappen wel maken, maar bij Dik was het gevaarlijk. Want, ondanks haar naam, was ze niet echt dik. Misschien een beetje, maar de hele school wist dat ze wel alle moeite deed om niet tè dik te worden.
Toen Hans vorig jaar bij haar in de klas zat, moest hij steeds de suikerklontjes doormidden breken voor in de koffie. Ze

wilde altijd maar een half klontje, omdat ze anders te dik werd.
Toen al had Hans vaak willen zeggen: 'Mens, maak je niet dik,' maar hij had het niet gedurfd. Na het gevecht op de speelplaats had hij het er eindelijk uitgeflapt.
Mevrouw Dik was ontploft. 'Naar binnen,' krijste ze. Hans sjokte voor haar uit het gebouw in en kreeg twintig staartdelingen mee naar huis.
Heel groep acht had meegeholpen om ze te maken, maar ze hadden met elkaar afgesproken dat ze groep zeven nog eens goed te grazen zouden nemen.
Nu hadden ze een kans. Tjerk en Jochem zaten in het schriftenhok. Juist die twee!
Tim en Ankie slopen op hun tenen naar de deur van het schriftenhok. Ze hoorden dat Jochem en Tjerk het over de Tweede Wereldoorlog hadden. Vooral Jochem was daarin erg geïnteresseerd. Hij wilde net iets vertellen over handgranaten, toen Ankie de deur dichtgooide, en Tim de sleutel omdraaide en het licht uitdeed.
'Verdomme,' klonk het vanuit het schriftenhok.
'Hallo,' riep Ankie. 'Zevende-groepertjes, hoe is het met jullie?'
In het schriftenhok begon Jochem tegen de deur te trappen. 'Doe open, zeg ik, doe open!'
Tim klopte op de deur en zei: 'Hé, Jochem, probeer het eens met een handgranaat.'
Het bleef even stil in het hok, toen riep Tjerk: 'Doe niet zo flauw, Tim. We weten wel dat jij het bent.'
'En ik!' riep Ankie.
'O nee,' kreunde Jochem, 'die stomme Ankie is er ook bij.'
'Stom?' riep Ankie. 'Een beetje beleefd blijven, anders laten we jullie een week in je hok zitten, zonder eten.'

'O ja?' zei Jochem. 'Als Dik komt, dan krijgt ze jullie wel. Twintig staartdelingen.'
Ankie stootte Tim aan: 'Kom op, we gaan terug. Laat die twee maar zitten.'
Samen liepen ze terug naar groep acht.
Achter zich hoorden ze vaag het gebonk en geroep uit het schriftenhok. Maar het hok lag in zo'n uithoek van de school, dat je goed moest luisteren om het te horen. Met een grijns kwamen ze de klas binnen.
Inmiddels had iedereen gehoord wat er gaande was. Hans had een briefje rondgestuurd en iedereen zat gespannen te wachten op de terugkomst van Ankie en Tim.
De twee kinderen liepen rustig naar hun plaats. Tim stak zijn duim op ten teken dat het gelukt was.
Daarna begon de lol pas echt. Zo onopvallend mogelijk gingen de kinderen om de beurt de klas uit. Eerst moest Hans zogenaamd naar de w.c. Bij het schriftenhok vroeg hij vriendelijk of Jochem en Tjerk lekker zaten.
Terug in de klas wachtten de kinderen even, en toen stond Melanie op en verdween naar de gang.
Otto wilde eigenlijk gaan, maar Melanie was hem te vlug af.
'Die stomme griet,' fluisterde Otto, 'altijd haantje de voorste.'
Melanie klopte op de deur van het hok, maar Jochem en Tjerk hadden besloten zich stil te houden.
Melanie vroeg: 'Zijn jullie niet bang in het donker?'
Jochem kon zich niet inhouden en riep: 'Barst!'
Giechelend liep Melanie terug naar groep acht.
Inmiddels had meester Vonk in de gaten dat er iets rommelde in de klas. Hij deelde een paar waarschuwingen uit. Dat betekende dat je bij de volgende waarschuwing straf kreeg.
Iedereen bleef een minuut of vijf rustig en daarna vertrok de volgende naar de gang. Zo ging het een kwartier door.

Zeker tien kinderen waren nu al geweest. Toen Maaike wilde opstaan, werd het meester Vonk te gek.
'Jullie gaan mij te veel naar de w.c.,' mopperde hij. 'Dat is niet normaal.'
Maaike bleef bedremmeld staan en keek met haar grote bruine ogen de meester aan: 'Ik moet echt, meester.'
'Ik snap er niks van,' zei Vonk. 'Waar is dat ineens goed voor, dat geren naar de w.c.?'
'Het is veel te warm, meester,' zei Walter.
Meester Vonk schoot in de lach. 'Bij jou is alles te warm, Walter.'
Walter schudde van nee en zei: 'Maar met die hitte verlaten de sappen sneller je lichaam.'
Vonk knikte: 'O, dàt is het. Ik dacht dat dàt zweten was, maar bij jullie werkt dat zeker anders. Nou is het uit met die flauwekul. Aan je werk en er gaat niemand naar de w.c.'
Maaike bleef wanhopig staan: zij moest echt! Ze wipte van haar ene been op het andere en keek smekend naar meester Vonk.
'Oké,' zei hij, 'jij bent echt de laatste.'
Maaike rende de klas uit.
De meester begon de klas op en neer te lopen en na een paar minuten was iedereen weer rustig aan het werk. Nu ze toch niet meer mochten gaan kijken, was de lol eraf.
Alleen toen Maaike terugkwam werd het nog even onrustig, maar daar maakte Vonk snel een einde aan. Ankie kreeg haar tweede waarschuwing en dat leverde haar acht strafdictees op. Ze wilde luid protesteren, maar zag aan Vonks gezicht dat hij nu echt kwaad begon te worden. Daarom besloot ze zich verder maar rustig te houden. Aan het eind van de middag zou hij wel afgekoeld zijn; misschien dat hij het haar dan nog zou kwijtschelden.

'Die stomme achtste-groepers'

Inmiddels zaten Tjerk en Jochem woedend in het schriftenhok. Jochem zat voortdurend te vloeken op die stomme groep acht. Tjerk zei niet veel en vroeg zich alleen af hoe lang ze nog hier zouden moeten zitten.
Telkens wanneer er iemand kwam om allerlei vervelende opmerkingen te maken, kon Jochem zich met moeite inhouden.
Toen Frankie kwam, de kleinste jongen uit groep acht die nooit wat durfde, hield Jochem het niet meer. 'Durf je wel, slijmerd? Nu we hier in het hok zitten? Als ik eruit kom, gooi ik een handgranaat in je broek!'
'Stil nou,' suste Tjerk, 'gun ze die lol toch niet, dat stelletje tuig.'
Na een tijdje kwamen er geen kinderen meer.
'Gelukkig,' zuchtte Jochem. 'Nou maar hopen dat Dik ons mist, als we zo lang wegblijven.'
Even bleef het stil, toen hoorden ze een zacht geritsel.
'Wat is dat?' vroeg Tjerk met een benauwd stemmetje.
Jochem voelde zich ook niet zo op zijn gemak, maar hij probeerde zich flink te houden: 'De wind of zo, denk ik.'
'De wind? Hier?'
Jochem hoorde aan Tjerks stem dat hij bijna begon te huilen. Ook hij voelde de tranen achter zijn ogen branden. 'Schoften,' gromde hij.
De jongens waren nu dicht tegen elkaar aan gekropen en luisterden naar het geritsel.
'Een muis, denk ik,' zei Tjerk zacht.

Het was weer stil.
In de gang liep nu iemand. Heel zacht kwamen voetstappen dichterbij en hielden voor het schriftenhok stil. Iemand deed het licht weer aan en haalde de sleutel uit het slot.
De twee jongens keken elkaar aan.
Toen schoof iemand de sleutel onder de deur door en liep weg.
Jochem graaide de sleutel van de grond en maakte de deur open. Snel liep hij het gangetje door, naar de grote gang, maar daar was niemand meer te zien.
In groep acht was iedereen nog rustig bezig, toen Jochem en Tjerk langskwamen en door het raam naar binnen keken. Ze zwaaiden woedend met hun vuist en liepen door.
De hele klas zat stomverbaasd te kijken. Niemand begreep er iets van: hoe waren die uit het magazijn gekomen?

Lang konden ze daar niet over nadenken, want mevrouw Dik kwam de klas binnenstuiven met Jochem en Tjerk achter zich aan.
'Zo,' zei ze pinnig, 'groep acht is weer eens leuk geweest. Meneer Vonk, deze twee heren zijn door iemand uit uw klas opgesloten in het magazijn. Ik wil graag weten wie de dader is.'
Willem Vonk stond op en keek vragend de klas in. Niemand zei iets.
'Het is,' ging mevrouw Dik verder, 'dat iemand zo vriendelijk is geweest om de deur weer open te maken, anders hadden Jochem en Tjerk er misschien nog een half uur langer gezeten.'
De kinderen keken elkaar aan: iemand had de deur opengemaakt. Wie?
'Wie heeft de deur op slot gedraaid?' vroeg Dik weer.
'En wie heeft hem opengedraaid?' fluisterde Sandra tegen Ankie.
Met priemende ogen keek Dik haar aan: 'Wat zei je, Sandra?'
'Niks,' antwoordde Sandra zacht.
'Dat is je geraden ook,' siste mevrouw Dik.
Ankie dook weg achter haar atlas: ze stikte van het lachen. Ze kon er nou eenmaal niet tegen als grote mensen boos werden. Op de een of andere manier werkte dat heel erg op haar lachspieren.
'Goed,' ging Dik verder, 'jullie willen het dus niet zeggen?' Vragend keek ze de klas rond, maar niemand stak zijn vinger op. 'Meneer Vonk, ik hoop dat u erachter kunt komen, want ik word langzamerhand doodziek van het getreiter van de achtste tegenover de zevende. Als dat zo doorgaat dan kunnen jullie de vierdaagse wel vergeten. Ik heb geen zin om op stap te gaan met twee ruzie-klassen.'

De kinderen schrokken van deze laatste opmerking. Zelfs Ankie kwam achter haar atlas vandaan en keek met grote ogen naar Dik.
Melanie stak haar vinger op. Iedereen draaide zich om: ze ging toch niets verraden?
'Ja, Melanie?' zei meester Vonk.
'Groep zeven zit ons ook altijd te pesten als ze de kans krijgen. Vorige week hebben ze mijn fiets nog...'
'Nee!' onderbrak mevrouw Dik haar resoluut. 'Ik heb geen zin in allerlei beschuldigingen over en weer. Ik zal mijn klas ook de wacht aanzeggen. Van nu af aan laten de klassen elkaar met rust. Begrepen?'
'Ja, maar...' begon Melanie weer, die altijd het laatste woord wilde hebben.
'Begrepen?' vroeg mevrouw Dik streng.
Melanie gaf het niet op: 'Toch pesten ze ons altijd.'
Mevrouw Dik schudde het hoofd. 'Jij geeft het ook niet op, hè? Je bent nog geen steek veranderd sinds je in groep acht zit. Goed, ik ga terug naar mijn klas, maar ik hoop dat jullie gesnapt hebben dat er wat moet veranderen. Anders géén vierdaagse.'
Met grote stappen liep mevrouw Dik de klas uit. Toen ze de deur achter zich dichttrok, haalde iedereen opgelucht adem.
Meester Vonk liet zich met een plof in zijn stoel vallen.
'Mooi stelletje zijn jullie. Nou, kom op, wie heeft die flauwe grap uitgehaald?'
Het bleef doodstil. Iedereen zat meester Vonk met grote ogen aan te kijken, maar zei niets.
De meester zuchtte, stond op en ging op de rand van de tafel zitten.
'O nee,' kreunde Ankie bijna onhoorbaar, 'we krijgen een preek.'

Dat was inderdaad zo. Als de meester boven op zijn tafel ging zitten, dan kon dat twee dingen betekenen: òf hij ging een spannend verhaal vertellen òf hij hield een ernstige toespraak. En zo'n toespraak hield hij alleen als er iets vervelends was gebeurd in de klas. Zoals nu.
'Het is weer het oude liedje,' begon Vonk. 'Waarom vallen jullie groep zeven altijd lastig? Omdat jullie toevallig de oudsten zijn hier op school? Juist daarom zouden jullie de verstandigsten moeten zijn. Jullie zitten nog een paar maanden hier op school. Is het nou zo moeilijk om gewoon te doen tegen de andere klassen?' Hij keek de klas rond. Iedereen zat hem met een ernstig gezicht aan te kijken, behalve Melanie. Die lag half onderuitgezakt achter haar tafel en gaapte demonstratief. 'Dat geldt ook voor jou, Melanie, verdomme!' brulde de meester plotseling.
Melanie schoot overeind achter haar tafel. Door de schok vielen al haar viltstiften op de grond. Ze stond op en wilde ze oprapen, maar meester riep boos: 'Blijf zitten, ik ben nog niet klaar!'
Melanie dook weer achter haar tafel en hield zich verder stil: de meester was nu echt boos en dan had je zo straf te pakken.
Meester Vonk wachtte even en ging toen op kalme toon verder: 'Waarom pesten jullie groep zeven?'
Hans stak zijn vinger op.
'Ja, Hans?'
'Ik weet niet hoe het komt, meester, maar het gaat vanzelf. Je voelt je de oudste en de grootste hier op school en dan gaat het vanzelf. Je zit hier al zo lang en je vindt het ook wel eens leuk om een beetje de baas te spelen op de speelplaats enzo. Gewoon, het achtste groepie tegen het soepie!'
Sandra knikte heftig en zei: 'En toen wij vorig jaar nog bij

bij mevrouw Dik zaten, deden de achtste-groepers ook zo tegen ons. Dat hoort er nou eenmaal bij.'
Iedereen begon instemmend te mompelen.
'Ik weet het,' zei meester Vonk, 'het is ieder jaar weer hetzelfde liedje. Maar jullie maken het dit jaar wel erg bont.'
Otto stak nu zijn hand op. 'Meester, dat domme gedreig van Dik over onze vierdaagse schoolreis vind ik maar slap. Dat doet ze zeker ook ieder jaar?'
Meester Vonk keek Otto even aan en glimlachte. Otto had

gelijk, ze deed het inderdaad ieder jaar, maar Vonk zei het liever niet hardop. Hij ging weer achter zijn tafel zitten en keek de klas rond.
De kinderen zwegen.
'Wie heeft de deur van het magazijn op slot gedraaid?' vroeg hij.
Ankie stak haar vinger op.
Achter in de klas, in het groepje van Hans, Tim, Michael en Otto, werd het onrustig. Michael stootte Tim aan en siste: 'Die stomme griet gaat het nog zeggen ook,' en Otto sloeg wanhopig met zijn hand tegen zijn voorhoofd: 'O nee...'
Vonk keek Ankie aan en vroeg: 'Jij, Ankie?'
Ze knikte en keek voorzichtig schuin achter zich, om te zien wat Tim deed. Aarzelend ging zijn vinger ook de lucht in.
'Goed,' zei Vonk, 'jullie doen niet mee met slagbal.'
Sandra stoof overeind en zei fel: 'We hebben er allemaal lol van gehad, meester. Bijna de halve klas is gaan kijken toen Tjerk en Jochem in het magazijn zaten. Ik vind het niet eerlijk als Ankie en Tim ervoor opdraaien.'
Daar gaan we weer, dacht Vonk. In deze klas lieten de kinderen elkaar bijna nooit in de steek. Als ze iets uitgehaald hadden, dan lieten ze nooit degene ervoor opdraaien die toevallig betrapt werd. Hij vond het soms wel eens overdreven, maar aan de andere kant deed het hem goed.
'Oké,' ging hij verder, 'dan gaat de hele klas niet slagballen.'
Walter zwaaide met zijn vinger in de lucht en zei plechtig: 'Het recht heeft gezegevierd.'
'Waardeloos,' gromde Melanie.
'Wat?' vroeg Vonk.
'Ach, niks. Je hebt gelijk, maar ik vind het wel stom.'
Frankie, die bij Melanie in het groepje zat, knikte instem-

mend en zei met hoge stem: 'Ik vind het niet eerlijk. De hé-le klas krijgt straf, omdat Ankie en Tim een geintje uithalen.'
Verbaasd keek de meester naar Frankie en hij probeerde zich te herinneren wie er onder taakuur allemaal naar de w.c. waren geweest. Voor hij wat kon zeggen, krijste Frankie plotseling: 'Auw! Meester, Melanie trapt me.'
Ze had hem inderdaad onder tafel een flinke oplawaai verkocht.
'Nou is het uit,' zei meester Vonk boos. 'Melanie, houd je grote voeten bij je en Frank, doe niet zo schijnheilig. Jij moest toch ook toevallig naar de w.c. toen die twee in het magazijn zaten? Of niet soms?'
Frankie knikte en werd rood.
'Dan gaan we nu verder met onze taak en doen jullie van nu af aan normaal tegen groep zeven. Bemoei je in elk geval niet met ze. Het is al jarenlang een goede gewoonte dat we met groep zeven en acht een paar dagen op schoolreis gaan. Het zou belachelijk zijn als dat niet doorging. Aan je werk!'
Iedereen ging weer rustig aan de slag. Behalve Sandra en Ankie. Zodra de meester niet meer op de klas lette, begonnen ze zacht met elkaar te praten. Ze vroegen zich nog steeds af wie de twee jongens had bevrijd uit het schriftenhok. Het móest iemand uit de klas zijn geweest!

Een spion

Na schooltijd stond een groepje kinderen in een hoekje van de speelplaats. Hans, de grootste van de klas, leunde tegen het kunstwerk. Sandra, Ankie en Tim stonden om hem heen. Het kunstwerk bestond uit een stel korte en lange houten palen die tegen elkaar waren gezet. Bij de opening van de school had het gemeentebestuur het aangeboden als cadeau. Het was gemaakt door een kunstenaar uit het dorp. Daarom noemde iedereen het 'het kunstwerk'.
Alhoewel het ten strengste verboden was om erop te krassen, hadden alle kinderen die in de afgelopen jaren van school gingen, hun naam erin gekerfd. Dat moest uiterst voorzichtig gebeuren, want als Dik je betrapte, dan was je nog niet jarig.
Er deden de wildste verhalen de ronde over kinderen die betrapt waren en hele rekenboeken hadden moeten doorwerken.
Hans knipte zijn zakmes open, keek even spiedend om zich heen en begon een H in één van de palen te snijden.
'Zo,' zei hij, 'en nu zou ik wel eens willen weten wie Tjerk en Jochem uit het schriftenhok heeft bevrijd.'
Tim sloeg zijn armen over elkaar en riep: 'Er zit een verrader in onze klas!'
Ankie giechelde.
'Ja, lach maar,' ging Tim verder, 'maar er is wel mooi iemand die spioneert voor groep zeven.'
'En Dik was woest,' zei Sandra. 'Zou ze dat echt menen van die vierdaagse?'

'Maak je daar maar geen zorgen over,' mompelde Hans, die bijna klaar was met de H. 'Melanie heeft gelijk: Dik dreigt wel, maar dat doet ze ieder jaar.'
Ineens stootte Tim Hans aan, die daardoor uitschoot met zijn zakmes.
'Idioot!' riep Hans. 'Nou zit er een raar lusje aan mijn H.'
Tim wees naar de deur van de school: Jochem en Tjerk kwamen naar buiten. Ze liepen recht op de kinderen af.
'Dat plannetje van jullie is mooi mislukt!' riep Jochem.
Hans stapte op Jochem en Tjerk af met het zakmes in zijn hand.
'Ah!' riep Jochem. 'Groep acht kan niet tegen zijn verlies en gooit wapens in de strijd.'
'Engerd!' gilde Ankie. 'Doe dat mes weg.'
Verbaasd keek Hans naar zijn zakmes, knipte het snel dicht en stopte het in zijn zak.
Jochem ging vlak voor Hans staan. Hij moest dan wel tegen Hans opkijken, maar bang was hij niet.
'Dat is mooi,' zei Jochem, 'messen zijn verboden op school en kerven in het kunstwerk ook.'
'Ik zou maar gauw naar Dik gaan en het vertellen,' riep Sandra op een zeurtoontje. 'Mevrouw Dik, Hans heeft een mes en hij beschadigt het kunstwerk.'
Tjerk, die een paar meter achter Jochem stond, want hij was wèl bang voor Hans, zei: 'Zo kinderachtig zijn we niet in groep zeven.'
'Goed,' antwoordde Hans, 'vertel dan maar eens wie jullie heeft vrijgelaten.'
Jochem grijnsde. 'Dat kan ik helaas niet vertellen. Wij hebben ook zo onze geheime contacten.'
'Zie je wel,' zei Tim, 'een spion!'
Jochem en Tjerk schoten in de lach.

HANS

Op dat moment kwam Otto aansjokken. Hij moest nog even nablijven voor zijn rekenen. Zuchtend smeet hij zijn tas tegen het kunstwerk. 'Vonk heeft me weer wat sommen uitgelegd. Ik snap er de ballen van. Hij zegt almaar: 'Volhouden, Otto, volhouden, eens zul je het snappen.' Als ik tachtig ben zeker!'
'Ja!' riep Tim. 'Dan zit je in een bejaardenhuis en snap je eindelijk de breuken.' Iedereen moest nu lachen.
'Lachen jullie maar,' mopperde Otto, 'maar ik heb mooi weer een stamp extra sommen mee naar huis gekregen.'
'Zal ik je helpen?' vroeg Ankie.
Jochem grijnsde en riep met een hoge verdraaide stem: 'Kijk eens aan, jonge liefde! In de breuken vonden zij elkaar.'
Ankie gaf hem een stomp. 'Ach, jongen, vlieg op! Dat ze zoiets niet doen in jullie klas, maar bij ons in groep acht is dat heel normaal.'
Jochem draaide zich om, trok Tjerk mee aan zijn mouw en zei: 'Kom op, Tjerk, we gaan. We weten in elk geval dat Ankie op Otto is. Leuk nieuwtje voor onze klas. Hebben we weer iets om te pesten!'
Otto brulde boos: 'Dat moet je hier komen zeggen, slijmbal!'
Vlak voordat ze de hoek van de school om gingen, riep Jochem: 'Dan doet Ankie het zeker omdat je vader patatboer is. Krijgt ze een gratis patatje!'
Daarna zetten Tjerk en Jochem het op een lopen, want Otto kwam woedend achter hen aan.
Zijn vader had inderdaad een snackbar, maar als je hem voor patatboer uitschold, werd hij woest.
Snuivend rende hij achter de twee jongens aan. Halverwege het schoolplein gaf hij het op, en hij kwam hijgend terug bij het kunstwerk.

Hans was inmiddels bijna klaar met zijn naam. Keurig kerfde hij het laatste stukje van de S erin, deed een stap achteruit en keek tevreden naar zijn werk: HANS stond er in mooie, strakke letters.
'Jammer van het rare lusje,' mompelde hij.
Otto ging tegen het kunstwerk zitten uithijgen en ondertussen vertelden de anderen hem dat ze zich afvroegen wie het schriftenhok had opengemaakt.
'Voor mijn part hadden die twee er de hele nacht in gezeten,' gromde Otto.
Hans stond diep na te denken. 'Er zijn zeker een stuk of tien kinderen naar het schriftenhok geweest,' zei hij, 'maar wie heeft de deur opengedaan?'
Het was even stil.
'Maaike!' riep Sandra ineens. 'Die is als laatste geweest.'
'Maaike?' vroeg Ankie verbaasd.
'Ja, sufferd!' gilde Sandra. 'Weet je het dan niet meer? Zij was zelfs de enige die ècht naar de w.c. moest. Ze deed het zowat in d'r broek.'
Hans keek met een ernstig gezicht de kring rond. 'Maaike heeft het dus gedaan! Maaike is een verraderin!'
'Een verraadstèr zal je bedoelen,' verbeterde Sandra hem.
Otto stond op. 'Rin of ster, dat dondert niet. Zij heeft het in elk geval gedaan. Het zijn altijd weer de vrouwen die het verpesten.'
Sandra ging voor hem staan met twee handen in haar zij. 'Moet je meneer horen. Wie heeft het plan bedacht om die twee zevende-groepers op te sluiten? Ik, toevallig. En ik weet niet of het je al opgevallen is, maar ik ben toevallig een vrouw.'
Otto grinnikte en keek nadrukkelijk naar haar trui waaronder twee borstjes zichtbaar waren. 'Dat zie ik,' zei hij droog.

Sandra werd rood, maar ze liet zich niet zo gauw uit het veld slaan en riep: 'Dat heb je dan goed gezien, vrouwenhater. Jaloers zeker, omdat jij niet van die dingen krijgt!'
'Puh,' antwoordde Otto, 'ik ben blij toe, wat moet ik met van die dingen. Maar Maaike heeft het toevallig wel mooi verpest en dat is een vrouw.'
'Een vrouwtjè,' zei Tim.
'En wie heeft mee de deur op slot gedaan?' vroeg Ankie. 'Samen met Tim? Ik! En ik ben ook een vrouw, al heb ik nog geen borsten.' Meteen sloeg Ankie haar hand voor haar mond en begon ontzettend te giechelen. Ze vond van zichzelf dat ze er altijd van die gekke dingen uitflapte.
Otto keek onderzoekend naar de blouse van Ankie.
'Nou, kijk voor je,' giechelde Ankie.
Hans kuchte: hij vond dat er nu lang genoeg over borsten was gezeurd. 'Waarom heeft Maaike het gedaan?' Hij keek de anderen vragend aan.
Niemand zei iets, want niemand wist een antwoord.
Maaike was er niet het kind naar om zoiets te doen. Zolang ze haar kenden, hadden ze haar altijd heel aardig gevonden. Ze trad nooit zo op de voorgrond, maar was wel altijd heel gezellig en deed met van alles en nog wat mee. Ze trok vaak op met Ankie en Sandra. Meestal was ze erg vrolijk en als iemand uit de klas straf had en een stel kinderen uit de klas aanbood om mee te helpen, dan was zij altijd een van de eersten die meedeed.
'Ik kan het me niet voorstellen,' zei Tim langzaam, want hij was eigenlijk een beetje op Maaike. Hij was vooral helemaal weg van haar bruine ogen en verder vond hij dat Maaike tenminste niet zo'n haantje de voorste als Melanie of Sandra was. Dat mocht hij wel. Hij kon zich dan ook niet voorstellen dat Maaike alles verpest had, maar hoe lan-

ger hij erover nadacht, hoe meer hij het gevoel kreeg, dat het wèl zo was.
'Ik ga maar eens naar huis,' zei hij, 'ga je mee, Hans?'
Ankie en Sandra keken elkaar aan en riepen door elkaar: 'En Maaike dan? Wat doen we met Maaike?'
Tim haalde zijn schouders op. 'Ach, zo belangrijk is het nou ook weer niet.'
Hans was het niet met zijn vriend eens. 'Het is wèl belangrijk. Maaike is vóór groep zeven, dus tégen ons. We moeten haar morgen eens stevig aan de tand voelen.'
'Ze moet een flinke dreun hebben,' bromde Otto, 'dan leert ze het wel af om het voor die stomme baby's op te nemen.'
'Maar waarom helpt ze die dan?' vroeg Sandra, want dat vond ze nou juist het spannendste van alles.
'We zullen het morgen vragen,' antwoordde Hans.
En voor ze naar huis gingen, spraken ze af om Maaike morgenvroeg bij school op te wachten.

Een zoen

Tjerk en Jochem liepen nog na te hijgen van de achtervolging door Otto.
'Je moet niet van die rare dingen roepen tegen Otto,' zei Tjerk, 'je weet dat hij er niet tegen kan als je zijn vader voor patatboer uitscheldt.'
'Ach.' Jochem haalde zijn schouders op. 'Zijn vader ìs toch gewoon patatboer.'
'Ja, dat is wel zo, maar dat mag je niet zeggen. Otto's vader heeft een snackbar.'
Ze liepen inmiddels door de Kerkstraat, de hoofdstraat van het dorp. Halverwege was een plantsoentje, waar een bank stond. De kinderen noemden het 'de oudemannenbank', omdat er 's zomers altijd een paar bejaarden op zaten, die urenlang gezellig met elkaar kletsten. De rest van het jaar zag je de oudjes niet en gebruikten de kinderen de bank vaak om af te spreken.
Jochem plofte erop neer en wees naar de overkant van de straat, waar de snackbar van Otto's vader was. Met sierlijke letters stond er op de grote ruit: Snackbar Tedje.
'Belachelijke naam,' zei Jochem.
Tjerk ging naast hem zitten. 'Jochem, je zeurt. Dat moet die man toch zelf weten. 't Is zijn voornaam!'
Jochem begon te grinniken. 'Stel je voor dat iedereen in het dorp dat deed. Weet je hoe bakker Slofstra heet van zijn voornaam? Volgens mij Willem. Ik zie het al: Bakkerij Willempje.'
Tjerk schoot in de lach.

'En wat vind je van de groentewinkel van Jan de Bie?' ging Jochem verder. 'Groentewinkel Jantje.'
'Nee,' riep Tjerk. 'Groentewinkel Bietje, dat is nog leuker.'
Ze schaterden het uit en net op dat moment kwam Otto's vader de snackbar uit en liep de Kerkstraat in.
'Hoi, Tedje!' riep Jochem.
'Hou je bek,' siste Tjerk, die al klaar stond om ervandoor te gaan, want hij verwachtte het ergste. Maar er gebeurde niets. De vader van Otto stak vriendelijk zijn hand op en riep: 'Hallo, jongens!' en wandelde rustig verder.
'Zie je wel,' zei Jochem triomfantelijk, 'hij doet niks.'
Tjerk pakte zijn tas van de bank. 'Ik ga naar huis.'
Samen liepen de twee jongens de Kerkstraat door en sloegen een zijstraat in.
'Jij zoekt altijd de verkeerde kinderen uit om ruzie mee te trappen,' mopperde Tjerk tegen Jochem.
'Hoezo?'
'Vorige week heb je Hans zitten treiteren en hebben jullie gevochten. Het was maar goed dat Dik erbij kwam, want Hans had je afgemaakt.'
'Ach, ik ben niet bang voor die opschepper uit groep acht,' antwoordde Jochem.
Tjerk keek van opzij naar zijn vriend. Aan de ene kant vond hij het heel goed dat Jochem veel meer durfde dan hij; aan de andere kant vond hij het af en toe best eng. Je wist bij Jochem nooit wat hij nou weer van plan was. Ze waren al vaker samen achterna gezeten door een of andere woedende figuur uit groep acht of, zoals laatst, door een boze meneer, toen Jochem steentjes door een openstaand w.c.-raampje had gegooid terwijl de vrouw van die man net op de w.c. zat.
Jochem liep nog te denken aan wat er die middag was ge-

beurd. Ineens bleef hij staan en pakte Tjerk bij de mouw van zijn jas. 'Wie heeft eigenlijk dat hok voor ons opengemaakt?'
Tjerk haalde zijn schouders op en krabde door zijn krullen. 'Geen idee.'
'Het moet iemand uit groep acht zijn die ons goed gezind is,' ging Jochem bedachtzaam verder.
'Die wat?'
'Die ons goed gezind is,' herhaalde Jochem. Hij vond het altijd heel interessant om de dingen een beetje deftig te zeggen. 'Die ons dus aardig vindt en ons wilde helpen. Maar wie...' Hij zag dat Tjerk rood werd, keek hem onderzoekend aan en vroeg: 'Waarom sla jij op tilt, Tjerkie?'

Tjerk begon te stotteren. 'Eeeh... nou... nee... ik heb het warm.'
'Aha!' riep Jochem. 'Er is er maar één in groep acht die ons goed gezind is, of eigenlijk jóu goed gezind is: Maaike dus.'
Tjerk zei niets, maar hij had het gevoel dat hij inmiddels helemaal paars zag.
'Springt u maar weer op groen,' zei Jochem droog, 'ik weet tòch dat jij op Maaike bent en zij op jou.'
Tjerk slikte even en stamelde: 'Ze is mijn buurmeisje, ik bedoel... eeh...'
Jochem knikte en dacht: We zijn nou al zo lang vrienden, Tjerk en ik kunnen altijd over alles praten. We weten alles van elkaar, maar zodra je over Maaike begint, dan weet Tjerk niet meer wat hij zeggen moet.
Jochem had er een keer met zijn eigen vader over gepraat. Die zei toen: 'Tjerk is een beetje verlegen. Je moet er maar zo gewoon mogelijk over doen en hem er niet mee pesten.'
Daar hield Jochem zich dan ook nu maar aan: hij gaf zijn vriend een klap op zijn schouder.
'Ik ben hartstikke blij dat Maaike op jou is. Anders zaten we nou misschien nog in dàt stomme hok. Geef d'r een dikke zoen van me. Die heeft ze verdiend.'
'Ja,' antwoordde Tjerk zenuwachtig en op hetzelfde moment had hij in de gaten wat hij zei. 'Ik bedoel: nee.'
Jochem begon te bulderen van het lachen. Hij had nu best allerlei grappen willen maken over het gezoen van Maaike en Tjerk. En verder was hij ontzettend nieuwsgierig om te weten of ze elkaar ècht al zoenden. Maar hij hield zich net op tijd in en zei alleen: 'Je moet haar in elk geval bedanken.'
Tjerk knikte.
'Goed,' zei Jochem, 'ander onderwerp! Groep acht heeft

ons een kunstje geflikt. Wij zullen ons moeten wreken.'
Ze stonden nu voor het huis van Tjerk.
'Ik denk,' ging Jochem verder, 'dat we een zwaarder wapen in de strijd moeten gooien.'
Tjerk keek zijn vriend onderzoekend aan. 'Wat bedoel je?'
'Een bom,' antwoordde Jochem droog.
'Wat? Je bent niet goed wijs.'
Jochem schudde zijn hoofd. 'We moeten die domme achtste-groepertjes een lesje leren. Die patsertjes denken maar dat zij de dienst op school kunnen uitmaken. Daarom gooien we morgen een bom in hun klas. Een stinkbom.'
Tjerks mond viel open van verbazing.
'Morgen!' ging Jochem plechtig verder. 'Onze wraak zal zoet zijn.'
'En Dik dan?' vroeg Tjerk. 'Groep acht weet natuurlijk meteen dat wij dat gedaan hebben en gaan naar Dik.'
Triomfantelijk sloeg Jochem zijn armen over elkaar, ging voor Tjerk staan en fluisterde op geheimzinnige toon: 'Nee, mijn waarde, dat doen ze niet. Wij hebben ook niet tegen Dik gezegd dat Ankie en Tim ons hebben opgesloten, terwijl we het wel wisten. We hebben gezegd dat groep acht het gedaan had. Als ze morgen hun mond niet houden, zullen wij Ankie en Tim verraden.'
Tjerk was diep onder de indruk van zijn vriend. Daar zou hij zelf nooit op gekomen zijn. Ineens drong het tot hem door dat ze in de afgelopen maanden nooit namen hadden genoemd tegenover Dik. Het was altijd 'groep acht' die vervelend was. En, omgekeerd, hadden zij nooit aan Dik verteld wie uit groep zeven weer een of ander rotgeintje uithaalde. Zij spraken ook altijd over 'groep zeven die weer bezig was'. De twee klassen hadden het nooit met el-

kaar afgesproken, maar het leek wel een soort ongeschreven wet: je noemde nooit namen.
Het was ieder jaar een terugkerend gebeuren op school: de ruzie tussen groep zeven en acht. Het hoorde erbij, zoals het afscheidstoneelstuk, de vierdaagse, je naam kerven in het kunstwerk, het verkeersexamen in groep zeven en de schooltoets in groep acht.
'Gek,' zei Tjerk, 'we noemen nooit namen.'
'Precies, en daarom zullen ze hun mond houden. Tjerkie, tot morgen,' en Jochem liep verder de straat door.
Tjerk wachtte totdat Jochem rechtsaf sloeg en liep toen het gangetje in tussen zijn huis en dat van Maaike. Het gangetje kwam uit in de achtertuinen. Hij liep door de tuin van Maaike, opende de keukendeur en stapte naar binnen. Maaikes vader stond aardappels te schillen.
'Hoi,' begroette hij Tjerk enthousiast. 'Maaike zit op haar kamer.'
Tjerk liep door: hij wist de weg. Vanaf dat ze peuter waren, speelden Maaike en hij al met elkaar. Hun fotoalbums zaten vol met fotootjes waarop ze samen speelden, kuilen groeven in de zandbak of 's zomers samen in een badje zaten. De vriendschap tussen Tjerk en Maaike was er altijd geweest. Tjerk had dat ook altijd vanzelfsprekend gevonden, totdat hij een paar maanden geleden merkte dat er iets veranderde tussen hem en Maaike. Vroeger riepen ze altijd tegen elkaar dat ze later met elkaar zouden trouwen, maar sinds een paar maanden durfde Tjerk het niet meer te zeggen. Trouwens, Maaike had het ook nooit meer gezegd. Soms keken ze naar elkaar en dan lachte Maaike op zo'n manier naar hem, dat Tjerk het er helemaal warm van kreeg. Toen wist hij het ineens: hij was verliefd op Maaike en zij op hem. Hij probeerde er niet aan te denken, want

daardoor kon hij soms niet uit zijn woorden komen. Zoals nu. Hij liep haar kamer binnen en wilde opgewekt 'hallo' zeggen, maar hij mompelde heel verlegen iets van: 'Dag.'
Maaike zat aan haar bureautje huiswerk te maken. Ze keek hem stralend aan, want ze was net bezig met staartdelingen en ze wist dat Tjerk daar heel goed in was. 'Kom je me helpen?' vroeg ze.
Tjerk pakte een stoel, ging naast haar zitten en keek naar de ellenlange som.
'Hij komt niet uit,' zuchtte ze. 'Ik word er gek van. Ik zit al een half uur op die rotsom.'
Snel rekende Tjerk het na en vond meteen de fout.
Maaike verbeterde de som en gaf Tjerk spontaan een zoen op zijn wang.
Tjerk sloeg meteen op tilt, zoals Jochem zou zeggen.
Maaike giechelde en keek hem met haar grote bruine ogen aan.
'Eeeh...' stamelde Tjerk en hij schoot van de zenuwen in de lach.
'Volgens mij,' zei Maaike, 'zijn wij op elkaar.'
'Eeeh...' kreunde Tjerk weer en hij knikte toen heftig. Hij was blij dat het eindelijk was gezegd. Wat ze alle twee al een hele tijd wisten, was eindelijk uitgesproken.
Maaike hield haar wang vlak voor zijn mond. 'Ik wil ook een zoen.'
Tjerk gaf er een klinkende pakkerd op en haalde daarna opgelucht adem. Het was of alles ineens weer zoals vroeger werd. Ze konden weer gewoon doen, want ze hadden het eindelijk tegen elkaar gezegd.
'Vanmiddag wist ik het zeker,' zei Maaike.
'Wat?' vroeg Tjerk.
'Nou, dat ik echt op je ben. Toen Ankie en Tim jullie hadden

opgesloten in het schriftenhok, vond ik dat ineens heel gemeen. Natuurlijk ben ik tegen jullie groep. Ik zit niet voor niks in de achtste, maar toch vond ik het gemeen, omdat jij het was. Ik vind al die zevende-groepers maar stom, behalve jou.'
Tjerk knikte. 'Ik vind die àchtste-groepers een stel patsertjes, behalve jou.'

‘We moeten het wel geheim houden,’ zei Maaike. ‘Ze mogen op school niet merken dat we op elkaar zijn.’
Daar was Tjerk het helemaal mee eens. Natuurlijk! Het kòn niet, dat een zevende- en een achtste-groeper op elkaar waren. Maar dat vond Tjerk niet eens het belangrijkste. Diep in zijn hart zou hij het vreselijk vinden als de andere kinderen erachter zouden komen. Sommige kinderen liepen juist ontzettend te koop met hun verliefdheid, maar dat was het laatste dat hij wilde.
Ineens keek hij Maaike met verschrikte ogen aan.
‘Wat is er?’ vroeg ze.
‘Weet groep acht al dat jij ons hebt bevrijd?’ vroeg hij bezorgd.
‘Natuurlijk niet.’
‘Maar als ze er nou achter komen. Jochem heeft tegen een paar kinderen uit jouw klas gezegd dat wij onze geheime contacten hebben in groep acht.’
‘Nou èn?’ antwoordde Maaike. ‘Als dat alles is, dan weten ze nog niks.’
‘Ja, maar...’ stamelde Tjerk, ‘als ze het nou wel te weten komen, wat zeg je dan?’
Maaike dacht even na en begreep wat hij bedoelde. Ze zou natuurlijk nooit kunnen vertellen dat ze de twee jongens had vrijgelaten omdat ze op Tjerk was. Ook zij wilde niet dat iemand op school het zou weten.
‘Ach,’ zei ze geruststellend, ‘ze komen het niet te weten.’
Tjerk stemde daarmee in, maar besloot wel die avond nog even langs Jochem te gaan en hem op zijn hart te drukken zijn mond te houden. Niemand zou ooit mogen ontdekken dat Maaike hen had bevrijd.
Maaike en Tjerk wisten niet dat de volgende dag de hele school te horen zou krijgen wat hun geheim was...

Tjerk wordt woedend

Bij de ingang van het schoolplein stond de volgende ochtend een groepje kinderen bij elkaar: Ankie, Sandra, Hans en Tim. Het was ineens koud geworden en de wind gierde over het plein.
Tim trok zijn muts nog wat verder over zijn oren en vroeg: 'Wat gaan we Maaike vragen?'
'Gewoon,' antwoordde Hans, 'of zij het hok heeft opengemaakt.'
'En als dat zo is, wat doen we dan?'
'Dan kijken we d'r nooit meer aan,' zei Sandra fel, 'de verraadster.'
Tim keek naar Hans, maar die haalde alleen zijn schouders op en zei: 'Dat lijkt me het beste. Hoe kunnen we nou nog ooit groep zeven te grazen nemen, als Maaike alles verpest.'
Melanie was bij het groepje komen staan en had nog net de laatste zin van Hans opgevangen. 'Wat heeft Maaike verpest?' vroeg ze.
'Ze heeft gisteren het schriftenhok opengemaakt voor Tjerk en Jochem,' antwoordde Ankie.
'O ja?' riep Melanie overdreven verbaasd. 'Wat erg! Wat een gemene trut, wat een vals kind.' Melanie vond het heerlijk om over andere kinderen te roddelen en rende dan ook meteen weg om het op het hele plein rond te bazuinen.
'Hè, wat stom nou,' zei Tim boos tegen Ankie, 'nou weet de hele klas het.'
'Nou èn? Dat is maar goed ook. Hoe eerder iedereen het weet, hoe beter het is.'

Tim keek de andere kinderen wat ongelukkig aan. 'Jullie doen net of Maaike een of andere misdadigster is.'
'Dat is ze ook!' riep Sandra.
Inmiddels kwam de halve klas aanrennen en iedereen wilde precies weten hoe het zat. Hans vertelde uitgebreid dat ze vrijwel zeker wisten dat Maaike het had gedaan.
'Ik heb dat kind nooit vertrouwd!' gilde Melanie. 'Ze zit altijd met die grote bruine ogen onschuldig te doen, maar ondertussen.'
'Onzin,' zei Tim.
Melanie grijnsde tegen hem. 'Jij bent op Maaike, daarom zeg je dat.'
Tim voelde zich boos worden op haar. Hij had een ontzettende hekel aan Melanie met haar grote mond. 'Oud wijf!' riep hij. 'Als Maaike het echt gedaan heeft, zal ze er wel een reden voor gehad hebben. En jij moet je niet meteen met je grote bek overal mee bemoeien.'
Melanie ging voor hem staan en hief dreigend haar vuist op. 'Moet je een ram, kleine...'
Hans ging tussen hen in staan. 'Ho, ho, geen geram hier,' commandeerde hij.
Melanies ogen schoten vuur. 'Die kleine zegt 'oud wijf' tegen mij, dat neem ik niet.'
'Je bent af en toe ook een oud wijf,' ging Hans rustig verder, 'maar daar gaat het nu niet om.'
Melanie keek verontwaardigd naar Hans, maar durfde verder niets te doen, omdat Hans nu eenmaal een kop groter was dan zij en ze wist dat hij het onmiddellijk op zou nemen voor Tim, als ze hem zou slaan.
'Daar is ze!' riep iemand.
Maaike kwam het plein op lopen. Een paar meter achter haar slenterden Jochem en Tjerk. Ze waren met z'n drieën

naar school gelopen, maar hadden vlak bij school besloten om niet met elkaar het plein op te gaan.
De halve klas stormde op Maaike af en gilde: 'Jij hebt het gedaan! Jij hebt ze bevrijd!'
Maaike staarde met bange ogen naar haar klasgenoten die dreigend om haar heen stonden.
Hans wrong zich door de krijsende kinderen en ging vlak voor Maaike staan. Hij keek haar streng aan en vroeg: 'Heb jij die twee figuren uit het schriftenhok gelaten?'
Maaike werd vuurrood en wist niet wat ze moest zeggen.
'Ze wordt rood!' riepen de kinderen. 'Ze wordt hartstikke rood!'
'Nou?' vroeg Hans.
Maaike knikte.
Sandra had zich inmiddels naar voren gedrongen. 'Waarom? Waarom help jij die stomme zevende-groepers?'
Wanhopig keek Maaike naar Sandra en ze stamelde: 'Ik... ik... vond het gemeen.'
Iedereen begon te lachen. Heel hard en vals.
'Ze vond het gemeen!' riep Melanie.
Frankie, die helemaal achteraan stond en steeds moest springen om goed te kunnen zien wat er gebeurde, lachte het hardst van allemaal, en riep: 'Wat een stomme trut! Wat een stomme trut!'
Tim, die vlak naast hem stond te springen, omdat hij ook niet zo groot was, gaf hem een duw. 'Zo kan die wel weer, Frankie.'
Frankie hield onmiddellijk zijn mond, want nu begreep hij er niets meer van en verder was hij bang voor Tim, zoals hij eigenlijk bang voor iedereen was.
Een stukje verderop stonden Jochem en Tjerk te kijken naar wat er gebeurde. Ze waren eerst ook vreselijk ge-

schrokken, toen iedereen op Maaike afstoof.
'Verdomme, ze weten het al,' siste Jochem.
Zenuwachtig pakte Tjerk Jochem bij zijn mouw en fluisterde: 'We moeten iets doen.'
'Kom op.' Jochem trok zijn vriend mee. 'We moeten haar helpen.'
Tjerk aarzelde. 'Maar dan weet de hele school, dat... dat... ik...'
'Nou èn?' vroeg Jochem boos. 'Dan weet de hele school maar dat jullie op elkaar zijn.'
De groep om Maaike heen stond haar nu uit te lachen en ze hoorden Frankie er nog net bovenuit krijsen: 'Stomme trut!'
Dit werd ook Tjerk te veel. Het kon hem ineens geen barst meer schelen wat de hele school zou denken. Maaike zat in moeilijkheden. Hij stortte zich op de schreeuwende kinderen, ramde links en rechts en trapte waar hij trappen kon. Vol ontzag deinsde iedereen achteruit: zo kwaad hadden ze Tjerk nog nooit gezien. Hij stond bekend als een rustig, onopvallend joch, dat nooit een vlieg kwaad deed. Zelfs Hans schrok ervan.
Tjerk stond met gebalde vuisten voor hem en brulde: 'Wat moet je?'
'Niks,' antwoordde Hans, 'maak je niet zo druk. We doen Maaike heus niks. We wilden alleen weten of zij jullie uit het schriftenhok heeft gelaten.'
Jochem was achter Tjerk aangerend en legde een hand op zijn schouder om hem te kalmeren. Ondertussen keek hij woest naar Hans.
Sandra staarde Tjerk en Maaike onderzoekend aan en ineens wist ze het: Maaike vond het natuurlijk zo gemeen omdat ze op Tjerk was en Tjerk op haar. 'Jullie zijn op elkaar, hè?'

Alsof ze het afgesproken hadden, werden Maaike en Tjerk vuurrood. Melanie zag het ook, zette haar handen als toeter aan haar mond en toen schalde het over de speelplaats: 'Tjerk en Maaike zijn op elkaar.'
De klas drong zich weer naar voren en nam de kreet over. In koor schalde het over de speelplaats: 'Maaike en Tjerk zijn op elkaar! Maaike en Tjerk zijn op elkaar!'
Maaike begon te huilen. Tjerk keek wanhopig om zich heen. Het was afschuwelijk. Hij haatte groep acht, zoals hij die nog nooit had gehaat. Iemand gaf hem een duw in zijn rug, hij struikelde en viel tegen Maaike aan. Luid gejuich barstte los.
Tjerk pakte haar hand en trok haar mee. Ze moesten zo snel mogelijk weg hier. Weg van die stomme kinderen.
De hele horde kwam achter hen aan. Jochem probeerde hen tegen te houden, maar ze duwden hem ruw opzij.
Tim trok Hans aan zijn jas en riep: 'Nu vind ik het wel lullig worden!'
Hans knikte en brulde tegen de klas: 'Ophouden! Laat ze met rust.' Hij zwaaide met zijn grote vuisten. Onmiddellijk stopte het gegil. Een paar kinderen liepen nog door, maar Hans rende achter hen aan en stuurde hen terug. De meeste kinderen verspreidden zich over het plein, druk pratend over wat er was gebeurd. Een paar kinderen bleven bij Hans staan. Tim, Sandra, Ankie en natuurlijk Melanie.
'Wat doen we nu verder?' vroeg ze op hoge toon.
'Niks,' antwoordde Hans kalm. 'Ga jij nou maar wieberen.'
'Wat?'
'Gewoon, wegwezen.'
Melanie stak haar neus in de lucht en stapte met een verontwaardigd 'puh!' weg.

Walter kwam het plein op fietsen. Hij zwaaide met zijn fiets heen en weer en reed bijna tegen Hans op. 'Sorry!' riep hij en hij stapte af.
Tim grinnikte en wees naar de fiets die eigenlijk veel te klein voor Walter was. 'Zo'n lang mens op zo'n klein fietsje, dat kan niet goed gaan.'
'Ik weet het,' antwoordde Walter, 'maar ik krijg pas een nieuwe als ik naar de middelbare school ga. Mijn familie en ik hadden er niet op gerekend dat ik in zo'n korte tijd zo lang zou worden. Het zijn bepaalde sappen in mijn lichaam, begrijpen jullie wel?'
Ankie giechelde. 'De sappen van Walter.'
'Je hebt wat gemist, jongen,' zei Sandra en opgewonden vertelde ze wat er was gebeurd.
'Hoe romantisch!' riep Walter. 'Liefde in het spel tussen groep zeven en acht. Dat komt ook door allerlei...'
'Sappen,' zei Hans droog.
De bel ging en iedereen liep naar de schooldeur.

Een bom

'Dit is volkomen belachelijk!' donderde de stem van Willem Vonk door de klas. Hij was woedend. Met grote stappen beende hij voor de klas op en neer.
'Volkomen belachelijk!' riep hij weer. 'Jullie sluiten een paar zevende-groepers op in het schriftenhok. Daarna heeft één van jullie de moed om de deur open te maken voor Jochem en Tjerk èn wat doen jullie? Jullie wachten je klasgenootje op en schelden haar uit. Zijn jullie nou helemaal!'
Inmiddels was zijn bril op het puntje van zijn neus gezakt, maar dit keer had niemand de moed om te lachen. Met grote, boze ogen keek hij over zijn bril de klas in. 'Laten we nou even aannemen dat het een geintje was van dat opsluiten. Een vervelend geintje, maar vooruit! Maaike vond het na tien minuten wel genoeg en liet die jongens vrij...'
'Omdat ze op Tjerk is,' zei Melanie net iets te hard.
Vonk gaf een enorme dreun met zijn liniaal op tafel en brulde: 'Nou èn?'
Er viel een doodse stilte in de klas.
Vonk keek de kinderen één voor één aan en wachtte.
Walter stak zijn vinger op.
'Ja?' vroeg Vonk.
'Dat zei ik ook al, meester. Het zijn de sappen.'
'Wat?'
'De sappen, meester. Ieder mens heeft bepaalde sappen in zijn lijf, waardoor hij zomaar verliefd wordt.'
De klas begon zachtjes te grinniken.

Stomverbaasd keek de meester naar Walter: hij snapte er niks van. Hij stond hier een donderpreek te houden en Walter begon over sappen te praten. Ineens was zijn boosheid verdwenen en hij vroeg: 'Wat bedoel je nou, Walter?'
'Nou, gewoon. Als iemand verliefd wordt op een meisje uit onze klas, dan kun je dat niet tegenhouden.'
Iedereen keek nu naar Maaike die met haar hoofd in haar handen verdrietig voor zich uit zat te kijken.
De meester liet zijn blik even op Maaike rusten en zei: 'Als Maaike op iemand is uit groep zeven, dan heeft niemand daar iets mee te maken en dan hoeft ze daar zeker niet mee gepest te worden. Ik wou dat er nog meer van die kinderen waren... die... eeh... met van die sappen.'
De hele klas begon te lachen. Zelfs Maaike glimlachte en keek dankbaar naar Vonk, die het zo voor haar opnam.
De meester aarzelde. Hij wist niet of hij er nu nog wat over moest zeggen of het verder maar even zo moest laten. Kinderen plaagden elkaar wel meer als ze op iemand waren. In dit geval was Maaike huilend binnengekomen met Tjerk en Jochem. 'Groep acht is weer bezig!' had Jochem geroepen. 'Ze pesten Maaike omdat ze op Tjerk is.' Daarna had hij verontwaardigd verslag gedaan van wat er op de speelplaats was gebeurd. Vonk had de jongens naar hun eigen klas gestuurd en beloofd er wat aan te doen. Meer dan dat leek hem eigenlijk niet nodig. Je kon dingen ook overdrijven, vond hij.
Hij liet een stel proeftoetsen uitdelen en zette de klas aan het werk met de mededeling: 'Over twee weken is de echte schooltoets, dus laten we nog maar eens flink oefenen.'
Mopperend gingen de kinderen aan de slag. Proeftoetsen vonden ze het meest vervelende dat er was. Ze bogen zich over een lang verhaal waarover allerlei vragen werden gesteld. 'Informatieverwerking' heette dat.

Vonk liep rond door de klas en gaf hier en daar een aanwijzing.
Toen hij bij het groepje van Hans kwam, viel hem pas op dat Otto nog niet op school was. Vreemd, dacht hij, ik heb geen bericht gehad. Even afwachten maar, anders zijn ouders bellen in de pauze.
Op dat moment ging de deur open en Otto sjokte de klas binnen.
Hij zag bleek. In zijn hand hield hij een briefje dat hij aan Vonk gaf.
De meester las: 'Otto heeft vannacht slecht geslapen, daarom hebben we hem maar even laten liggen. Vriendelijke groeten, Ted Verbeek.'
Hij knikte vriendelijk naar Otto en fluisterde: 'Ben je een beetje bijgekomen?'
Twee verdrietige ogen keken Vonk aan en toen rolden er dikke tranen over het gezicht van Otto. Hij draaide zich met een ruk om en liep naar zijn plaats. Daar plofte hij neer en ging meteen aan de proeftoets zitten werken.
Vonk liep naar hem toe en boog zich over hem heen. 'Is er iets, Otto?'
'Nee!' gromde Otto en hij wreef met een ruw gebaar de tranen uit zijn ogen.
Vonk bleef even staan en besloot toen Otto voorlopig met rust te laten: hij wilde er kennelijk niet over praten.
Tot aan de pauze zwoegden ze op de toets.
De kinderen uit het groepje van Otto hadden wel in de gaten dat er wat mis was met hun vriend. Maar toen Hans vroeg wat er aan de hand was, wilde Otto nog steeds niets zeggen.
Toen meester Vonk de blaadjes ophaalde, bleef hij verbaasd staan bij het groepje van Ankie en Sandra. 'Wat stelt dit voor?' vroeg hij verbaasd.

Normaal vormden Ankie, Sandra en Maaike met z'n drieën een groepje, maar nu hadden Ankie en Sandra hun tafels een stuk opgeschoven zodat Maaike alleen zat. Haar tafel stond er een beetje verloren bij, tussen al die grote en kleine groepen.

'We willen samen zitten,' zei Sandra.

'En Maaike dan?' Vonk keek haar over zijn bril streng aan. Hij wist natuurlijk heel goed dat dit een soort kleine demonstratie van die twee meiden was. Ze waren nog steeds boos op Maaike omdat ze gisteren Tjerk en Jochem had bevrijd.

'Nou?' vroeg Vonk weer, want Sandra en Ankie keken hem schaapachtig aan, maar gaven geen antwoord.
De hele klas wachtte af.
'Geen fratsen,' zei Vonk resoluut, 'schuif die tafels weer bij elkaar.'
Langzaam stonden Ankie en Sandra op en begonnen met een vermoeid gezicht hun tafels weer naar de tafel van Maaike te schuiven.
Meester Vonk voelde dat hij kwaad werd, maar hij besloot zich in te houden en liep verder de klas door om de rest van de blaadjes op te halen.
De enige die Vonks boosheid opmerkte, was Walter. De meester smeet de blaadjes woedend op zijn bureau, zodat ze alle kanten op dwarrelden en de helft op Walters tafel terechtkwam.
'Ben je boos?' vroeg hij zacht.
'Die vervelende meiden,' mompelde Vonk.
Walter legde alle blaadjes weer op een stapeltje en keek naar Vonk, die wat afwezig voor zich uit zat te staren.
Meester Vonk wist niet wat hij moest doen. Zijn donderpreek van die ochtend over het gepest van Maaike had blijkbaar niets geholpen. In elk geval voor Sandra en Ankie niet, want die gingen gewoon door. Terwijl ze anders toch de beste vriendinnen van Maaike waren. Zou het dan zo erg zijn dat Maaike gisteren die jongens had bevrijd? Zo belangrijk was het toch ook weer niet? Of zouden ze echt zo'n hekel hebben aan groep zeven? Gisteren had Hans nog gezegd dat het er nu eenmaal bij hoorde: ze voelden zich eindelijk de oudsten op school en wilden dat laten merken ook.
Maar waarom dan altijd groep zeven? Het viel Vonk juist op dat zijn klas altijd zo aardig was tegen de kleintjes uit groep een en twee, maar de zevende-groepers, die konden

niks goed doen. En Maaike, die partij voor ze trok, ook niet. De hele klas keerde zich tegen haar, zo leek het wel. Meester Vonk besloot het nog even aan te zien. Bleef het zo, dan moest hij er maar eens uitgebreid met hen over praten.
De bel voor de pauze ging en de kinderen dromden naar buiten. Vonk liep naar het kamertje. In de gang kwam hij meester Gouw van groep zes tegen.
'Willem, wat kijk je woest,' zei meester Gouw.
'Ach,' zuchtte Vonk, 'dat gedonder tussen de twee hoogste groepen.'
Meester Gouw grinnikte. 'Ja, ik hoorde het van Clara. Jouw klas had een paar van haar kinderen mooi te grazen gisteren.'
Vonk knikte: 'Ik word er af en toe knetter van.'
Meester Gouw gaf hem een vriendschappelijk klapje op zijn schouder.
'Je moet er niet zo'n probleem van maken. Dat hoort er gewoon bij.'
'Dat moet je dan tegen Clara zeggen. Die heeft gisterenmiddag weer eens flink staan dreigen in mijn klas. Je kent dat wel: dat de vierdaagse niet doorgaat.'
'Clara kan niet tegen dat soort pesterijtjes,' zei meester Gouw. 'We deden dat toch vroeger zelf ook, maar ik denk dat Clara dat vergeten is. En weet je, het is best goed dat Clara ze flink de wacht aan heeft gezegd, anders weten ze toch niet van ophouden. Je zult zien dat de vrede tussen jouw klas en de hare weer snel getekend wordt.' Hij opende de deur van het kamertje en liet Vonk met een sierlijk gebaar voorgaan. 'Na u. Gekwelde meesters gaan altijd voor.'

Midden in de gang stond een kast met dia's en cassettebandjes. Jochem kon daar nog net achter wegduiken toen

Vonk en Gouw de hoek om kwamen. Zodra ze in het kamertje waren verdwenen, sloop hij snel de gang door naar het lokaal van groep acht.
Voorzichtig opende hij de deur. Niemand te zien. Uit zijn zak haalde hij een piepklein flesje van dun glas, waarin een gele vloeistof zat. Met een grote boog gooide hij het flesje het klaslokaal in en verdween toen snel naar buiten.

De hele school staat op zijn kop

Op de speelplaats probeerde Hans nog een keer erachter te komen, wat er met Otto aan de hand was. Die bleef zwijgen en holde naar het veldje naast de school om een balletje te trappen.
Hans keek Tim aan en haalde zijn schouders op.
'Laat maar,' zei Tim, 'je weet hoe koppig Otto kan zijn. Als hij niks wil zeggen, kun je op je kop gaan staan, maar dan krijg je geen woord uit hem.'
Hans knikte. Dat kende hij maar al te goed van Otto. Als ze soms ruzie hadden, was Otto in staat om twee dagen niks te zeggen. Als je hem dan maar met rust liet, begon hij vanzelf weer te praten alsof er niets was gebeurd.
De twee jongens sjokten achter Otto aan naar het veldje. Aan de rand van het veldje, op de bielzen die een afscheiding vormden tussen het schoolplein en het gras, zat Maaike met Walter te praten.
In het voorbijgaan riep Hans: 'Heb je het weer over de sappen?'
Walter deed of hij niets hoorde. Hij zat Maaike net te vertellen dat hij het idioot vond dat de klas zo boos op haar was. 'Je moet je er niks van aantrekken,' zei hij troostend.
Maaike glimlachte naar hem en zei: 'Ik vind het ook stom dat de hele klas tegen me is. We hadden die jongens toch niet de hele tijd in het schriftenhok kunnen laten zitten?'
'Dat hadden we wel,' klonk plotseling de snerpende stem van Melanie achter hen.
Walter draaide zich om. 'Daar hebben we mevrouw zelf.

Vind jij wel leuk, hè, als de hele klas tegen Maaike is.'
'Dat vind ik éééénig,' antwoordde Melanie met een overdreven lange uithaal en toen zei ze heel fel: 'Moet ze maar niet zo stom zijn om met Tjerk en Jochem aan te pappen.'
'Ach, mens,' zei Walter, 'jij bent gewoon jaloers. Je kan niet eens een vriendje in onze klas krijgen, laat staan in groep zeven.'
'Poeh, wat moet ik met zo'n kleuter. Trouwens, daar komt jouw kleuter aan.' Melanie wees naar Tjerk, die in de verte kwam aanlopen.
'Ik ga maar gauw weg,' kakelde Melanie door, 'anders denken ze nog dat ik op zo'n kleuter ben.'
Nu werd het Maaike te veel en ze riep keihard: 'Vuile dikke trut!'
Melanie bleef even staan, keek Maaike heel vals aan en siste: 'Kleuterverleidster!' Daarna stapte ze met opgeheven hoofd weg.
Walter gierde het uit van het lachen. Zijn harde, schaterende lach was aan de andere kant van het plein te horen. 'Kleuterverleidster,' hikte hij. 'Hoe krijgt ze het bedacht.'
Maaike moest nu ook lachen. Niet eens zozeer om het woord 'kleuterverleidster', maar om de aanstekelijke manier waarop Walter lachte.
Tjerk was nu bij hen gekomen en vroeg: 'Wat had Melanie?'
Met veel plezier bracht Walter verslag uit en verzekerde Tjerk, dat hij het belachelijk vond dat de klas zo maf deed. Hij ging voor Maaike en Tjerk staan en zei plechtig: 'Verder vind ik het heel mooi dat jullie op elkaar zijn. Door jullie liefde zal de ruzie tussen onze klassen worden opgelost.'
Maaike werd weer rood en giechelde. Tjerk wees op zijn voorhoofd. 'Je bent af en toe niet helemaal goed snik, Walter. Je lijkt wel een pastoor.'

'Misschien word ik dat wel!' riep Walter en hij stapte over de bielzen heen en ging voetballen.
Tjerk wilde naast Maaike gaan zitten maar op dat moment riep Jochem hem. Hij rende naar Jochem, die met een geheimzinnig gezicht bij het fietsenhok stond en hem onder het afdakje trok.
'Geheime opdracht stinkbom uitgevoerd,' fluisterde hij. 'Bijna betrapt door de vijand, maar nog net op tijd dekking gezocht achter de diakast.'
Tjerk schrok. Door al die toestanden met Maaike die ochtend was hij Jochems plan helemaal vergeten. Jochem was het duidelijk niet vergeten en was zo verstandig geweest er niet meer met zijn vriend over te praten, want die zou hem zeker hebben overgehaald het niet te doen na alles wat er was gebeurd.
Tjerk keek Jochem verslagen aan. Dit zou alles nog erger maken.
'Hoe kan je dat nou doen?' stamelde hij.
'Gewoon,' antwoordde Jochem, 'gauw zo'n dingetje naar binnen gooien en weg wezen.'
'Nee, oen! Ik bedoel, hoe kan je zo stom zijn. Nu wordt het helemaal erg voor... voor... Maaike.'
Jochem begreep er niets van. 'Maar we zouden toch wraak nemen voor gisteren?'
Moedeloos ging hij op de bagagedrager van een fiets zitten en schudde zijn hoofd. Ook in hun klas deden ze net alsof het vreselijk was dat ze altijd heibel hadden met groep acht, maar diep in hun hart vonden de meeste kinderen het leuk. 'Het nodigt je uit tot kleine wraakacties,' had Jochem vaak gezegd, en daar waren de meeste kinderen het mee eens. Maar nu, met Maaike en Tjerk, werd het wel erg ingewikkeld.
'Niet in het fietsenhok!' Het was de strenge stem van Dik

die samen met de juf van groep twee rondjes liep over het plein om de kinderen een beetje in de gaten te houden.
'Ja, ja, ik ben al weg,' antwoordde Jochem en hij sjokte een beetje treurig het schoolplein op.
Tjerk holde naar Maaike en vertelde haar wat Jochem had gedaan. Ze moest er eigenlijk wel om lachen. 'Ik ben benieuwd wat Vonk zal zeggen,' zei ze.
'En Dik, niet te vergeten,' zei Tjerk. 'Ik vind het maar stom van Jochem.'
'Ach, hij bedoelde het goed,' ging Maaike verder, 'en we hebben na de pauze een overhoring van de topografie van Azië. Als we geluk hebben, dan gaat dat niet door. Ik heb het niet zo goed geleerd!'
Nu Tjerk merkte dat Maaike het niet zo'n ramp vond was hij ineens veel minder boos op Jochem.
Mevrouw Dik vond het wèl een ramp. Na de pauze stond de hele school op zijn kop. De eerste die de klas inliep was Melanie en die kwam er meteen hysterisch gillend weer uit. 'Een stinkbom! Een stinkbom in onze klas.'
De kinderen verdrongen zich voor de deur, snoven die rotte-eiergeur op en begonnen mee te gillen met Melanie. Zo erg was het nou ook weer niet, maar iedereen begreep meteen dat groep zeven hier achter zat en stelde dus alles in het werk om het veel erger te maken dan het was.
Meester Vonk liep boos de klas in en zette alle ramen open. Omdat het nog steeds behoorlijk waaide, viel het al gauw mee met de stank.
De andere klassen waren ook in rep en roer. Iedereen stond in de gang en door de hele school klonk: 'Een stinkbom in groep acht! Een stinkbom in groep acht!'
Jochem vertelde vol trots in zijn klas dat hij de dader was. Bram en Carolina, twee kinderen uit zijn klas, omhelsden

hem bijna en de rest van de klas begon enthousiast te klappen. Ze stormden nu ook de gang in, maar daar liep mevrouw Dik zenuwachtig bevelen uit te delen. 'Onmiddellijk allemaal terug naar je eigen lokaal! Hou op met dat geschreeuw!'
Groep zeven verdween weer naar binnen en meester Gouw werkte zijn groep zes het lokaal in. Vlak voordat hij de deur dichtdeed, zag hij Willem Vonk voor de deur van zijn lokaal staan te midden van een horde krijsende kinderen. Mevrouw Dik probeerde erbovenuit te komen, maar dat lukte niet.
Sandra en Ankie stonden bij haar en schreeuwden haar in het oor: 'Groep zeven heeft het gedaan!'
Onmiddellijk draaide Dik zich om en liep met grote passen naar haar eigen lokaal. Met een harde klap trok ze de deur dicht. Ankie en Sandra keken elkaar triomfantelijk aan: het zou er vast stevig aan toegaan in Diks klas.
Meester Vonk probeerde zijn klas te kalmeren, maar het bleef een oorverdovend lawaai. Vonk had donders goed in de gaten dat het helemaal niet meer ging om die stinkbom. Het was alleen maar een mooie aanleiding om flink de boel op stelten te zetten.
'En nu is het uit!' brulde hij plotseling.
Op slag was het doodstil.
Even bleef het stil, maar toen schoot Walter in de lach. De hele klas lachte mee.
'Hup, gaan jullie nog maar even naar buiten,' riep Vonk en hij deed weer eens net of hij wanhopig was, 'tot die smerige lucht een beetje weg is.'
Onder luid gejuich verdween de klas weer naar buiten. Behalve Walter. Die vroeg: 'Kan ik even helpen, meester?'
Vonk lachte. 'Ja, mee gaan ruiken of we er al in kunnen.'

Samen liepen ze de klas in. Het was er nu ijskoud, maar de stank viel mee.
'Dat was een mooie brul in de gang,' zei Walter. 'Je kreeg ze tenminste stil. Mevrouw Dik stond al de hele tijd te roepen, maar die kwam er niet bovenuit. Volgens mij was je overgrootvader een scheepstoeter.'
Vonk grinnikte en liep naar het midden van de klas, waar een kapot flesje lag. Alle vloeistof die erin zat, was verdampt.
'Dit is de boosdoener,' zei Vonk, terwijl hij het met een papieren zakdoekje voorzichtig opraapte.
Walter keek naar het zakdoekje. 'Een bewijs, meester. We moeten het onderzoeken op vingerafdrukken.'
Vonk smeet het in de prullenbak: 'Ik denk dat ik wel weet wie het gedaan heeft.'
'Wie dan?' vroeg Walter.
'Deze twee heren,' hoorden ze plotseling een stem achter zich zeggen.
In de deuropening stond mevrouw Dik en naast haar stonden Jochem en Tjerk.
'Meneer Vonk,' ging Dik verder, 'zij hebben toegegeven dat ze het gedaan hebben en ik dacht, ik neem ze even mee. Dan kunnen ze zelf ruiken wat ze hebben aangericht. Ik merk dat het meevalt, maar ik zal ze flink straffen.'
'Tjerk heeft er niks mee te maken,' zei Jochem.
'En die stak ook zijn vinger op,' snauwde Dik, 'toen ik vroeg wie de daders waren.'
'Dat klopt,' antwoordde Jochem, 'en toen wou ik zeggen dat hij er wèl van wist, maar tégen het plan was, maar je liet mij niet uitpraten. We moesten meteen mee naar meester Vonk.'
'Precies,' zei Dik weer, 'ik vind dat het nu maar eens uit

moet zijn met dat gepest. We hebben het er gisteren uitgebreid over gehad en nu begin je weer. Vooruit, naar de klas. Je krijgt twintig staartdelingen.'
Mevrouw Dik draaide zich resoluut om en marcheerde de gang weer in. Jochem en Tjerk stapten bedremmeld achter haar aan.
Met een diepe zucht zei Walter: 'Eindelijk gerechtigheid.'
'Schiet op, naar buiten jij,' zei Vonk, 'en zeg maar niks tegen de anderen, dat zal ik wel doen.'
Lachend keek de meester Walter na en begon toen de ramen dicht te doen. Vonk moest vaak vreselijk lachen om Walter, die nooit een blad voor de mond nam en op de gek-

ste momenten de fraaiste opmerkingen kon maken.
Na tien minuten riep hij de klas weer binnen. 'Ik vond dat jullie je wel aanstelden,' begon hij, toen iedereen op zijn plaats zat. 'Zo erg is het toch ook weer niet.'
'Die domme zevende-groepers!' riep Melanie en ze stak haar tong uit tegen Maaike, zonder dat Vonk het zag.
'Zo, nu wil ik er niets meer over horen,' ging Vonk verder. 'Het waren inderdaad kinderen uit groep zeven en jullie kunnen zelf wel bedenken wie. Mevrouw Dik heeft ze behoorlijk gestraft en daarmee is de kous af.'
Er ging een tevreden gemompel door de klas.
Meester Vonk liep naar de kast om blaadjes voor de overhoring van Azië te pakken. Hij hoorde het instemmende gemompel en op de een of andere manier maakte hem dat boos. Jochem en Tjerk hadden wraak genomen op zijn klas en nu werden ze gestraft, terwijl hij er zelf gisteren niet zo'n probleem van had gemaakt, toen zijn klas groep zeven dwars zat. Goed, ze waren niet gaan slagballen, maar in plaats daarvan had hij ze gewoon laten werken en zelfs nog wat voorgelezen.
Meester Willem Vonk twijfelde weer eens aan zichzelf. Hij begreep best dat zijn klas af en toe een geintje uithaalde, maar hoe ver moest je ze laten gaan? De andere leerkrachten op school verweten hem wel eens dat hij te veel begreep. Achter zijn rug om werd wel gezegd dat hij eigenlijk soms te slap was, maar zelf had hij dat gevoel helemaal niet. Zijn klas mocht best veel, maar als ze echt te ver gingen waren de straffen niet mals. Want daar stond Vonk ook om bekend: hij gaf niet gauw straf, maar als hij echt boos werd zat je een hele middag te pennen.
Hij stond nog steeds voor de kast om blaadjes te pakken. Walter zat al een hele tijd naar hem te kijken en vroeg:

'Waarom sta je in de kast te kijken, meester?'
Vonk draaide zich om, klapte in zijn handen en zei tegen de klas: 'Ik vind het maar raar dat jullie zo tevreden zitten te doen, omdat Jochem en Tjerk gestraft zijn.'
Het leek wel of hij een tijdbom had geplaatst, want onmiddellijk barstte er een felle discussie los tussen de kinderen. Walter en Melanie schreeuwden boven alles uit. Walter vond het ook stom: het was terecht dat groep zeven wat terugdeed na gisteren. Melanie vond het belachelijk dat ze een stinkbom gooiden.
Na veel geschreeuw werd het rustig en Vonk kon eindelijk vertellen wat hem dwars zat. Natuurlijk hoefde mevrouw Dik het niet goed te vinden dat Jochem een stinkbom gooide, maar dan hoefde zijn klas daar niet zo tevreden over te doen. 'Jullie doen net of jullie zulke schatjes zijn,' besloot hij zijn verhaal.
Hans stak zijn vinger op.
'Ja, Hans?'
'Je hebt wel gelijk, meester, maar we kunnen er verder toch niets aan doen.'
Vonk schudde zijn hoofd. 'We kunnen er wel wat aan doen. Van nu af aan proberen ze met rust te laten, dan laten zij ons met rust.' De meeste kinderen knikten instemmend. Ze hadden er langzamerhand ook genoeg van om steeds op je hoede voor groep zeven te moeten zijn. Soms stond de band van je fiets weer leeg of waren de jassen aan elkaar geknoopt. Natuurlijk deden ze dan hetzelfde terug, maar je kon daar niet eindeloos mee doorgaan, zeker niet nu de vierdaagse op het spel stond.
Alleen Melanie protesteerde nog. 'Ze houden toch niet op.'
'Misschien dat Maaike er wat aan kan doen!' riep Sandra met een vals lachje.

Meester Vonk keek haar boos aan en mopperde: 'Ik vind dit een misselijke opmerking, Sandra.'
'Dat vind ik ook!' riep Tim van achter uit de klas.
Iedereen draaide zich verbaasd om naar Tim. Ze wisten allemaal dat hij op Maaike was en in plaats van boos te zijn omdat ze met Tjerk ging, nam hij het nu voor haar op.
Meester Vonk stak tevreden zijn duim op tegen Tim. 'Zo mag ik het horen.'
Tim bloosde, maar probeerde zo gewoon mogelijk te kijken. Gelukkig deelde Vonk nu de blaadjes uit, hing de kaart van Azië voor het bord en begon van alles aan te wijzen. Terwijl iedereen ijverig opschreef wat hij aanwees, keek hij de klas rond. Hij hoopte dat het nu inderdaad wat rustiger zou worden tussen zijn klas en die van Dik. Het zag er naar uit dat de meeste kinderen zich voorlopig wel kalm zouden houden.
Ineens merkte hij dat Otto niets opschreef. Hij liep naar hem toe en fluisterde: 'Niet geleerd?'
Otto schudde treurig zijn hoofd.
'Ga maar wat lezen,' zei Vonk en hij nam het blaadje van Otto mee.
Hij liep naar de kaart en wees de Jang-tse-kiang aan.
Walter zuchtte.
'Wat is er, Walter?'
'Ik weet wel hoe die rivier heet, meester, maar ik kan het niet opschrijven.'
'Maak er maar wat van, Walter.'
Toen meester Vonk later de blaadjes weer ophaalde, moest hij vreselijk lachen om Walters blaadje.
'Wat staat er?' vroegen de andere kinderen.
'Jan zee kietel,' antwoordde Vonk.

Otto's verdriet

Hans, Tim en Michael liepen met Otto mee.
'Wat is er nou?' probeerde Hans nog eens.
'Niks,' antwoordde Otto en hij begon ineens te rennen, terwijl zijn vrienden verbaasd achterbleven.
'Het is echt iets ergs,' zei Tim. 'Hij wil er niet over praten.'
'Maar wat dan?' vroeg Michael.
'Ik denk,' zei Hans, 'een scheiding.'
Michael geloofde er niks van. 'Dat kan niet. Hij heeft hartstikke aardige ouders, die doen zoiets niet.'
'Hoe weet jij dat nou?' vroeg Hans. 'De ouders van Sandra zijn ook hartstikke aardig en vorig jaar is haar vader toch ineens weggegaan?'
Ze liepen een tijdje zwijgend naast elkaar en dachten terug aan vorig jaar. Sandra was ook heel verdrietig geweest toen het gebeurde, maar die wilde er wel over praten. Ze hadden er zelfs met de hele klas over gepraat en bijna iedereen was even bang geweest dat het bij hen thuis ook zou gebeuren. De meeste kinderen zaten al vanaf de kleutergroep bij elkaar en het kwam bijna ieder schooljaar wel een keer voor dat de ouders van een van de kinderen gingen scheiden. En nu de ouders van Otto.
Tenminste, dat dachten ze, maar toen ze even later door de hoofdstraat van het dorp liepen en langs de snackbar van Otto's vader kwamen, zagen ze wat er werkelijk aan de hand was. Op het raam hing een groot bord met de woorden 'TE KOOP'.
De drie jongens keken elkaar aan. Dat was het dus. Otto's

vader ging de snackbar verkopen. Ze liepen naar het plantsoentje tegenover de snackbar en gingen op het oudemannenbankje zitten.
'Ik snap er niks van,' mompelde Hans. 'Die snackbar heeft het altijd druk. Volgens mij verdient Otto's vader hartstikke veel.'
'Misschien geeft hij veel te grote zakken patat,' zei Tim.
Bedachtzaam keek Michael voor zich uit en begon toen hardop te rekenen: 'Een kilo aardappelen kost ongeveer twee gulden. Laten we zeggen dat er twintig aardappelen in zitten. Dat is dan tien cent per aardappel. In een patatje zitten, laten we zeggen, vier aardappelen. Dat is dan veertig cent. Dan nog bakkosten, personeel, verlichting en het zakje. Laten we zeggen ook veertig cent. Bij elkaar tachtig. Hij vraagt per zakje patat één gulden vijfentwintig, dat is dus een winst van vijfenveertig cent.'
Met open mond hadden Hans en Tim naar Michael zitten luisteren.
'Nou,' zei Tim, 'je kan wel merken dat jouw vader iets hoogs bij de bank is.'
Michael glimlachte trots en stelde voor om ook even uit te rekenen wat Otto's vader op de kroketten verdiende.
Hans maakte een afwerend gebaar. 'Laat maar zitten. We rekenen al genoeg op school.'
'Misschien lijkt Otto op zijn vader,' zei Tim.
'Hoezo?' vroegen Hans en Michael tegelijkertijd.
'Nou, dan kan hij ook niet rekenen. Daarom moet hij zijn snackbar verkopen.'
'Is dit een grap?' vroeg Hans droog.
Tim schudde van nee. 'Ik meen het.'
Het bleef een hele tijd stil. De drie jongens keken zwijgend naar het bord 'TE KOOP' en probeerden er voor zichzelf

achter te komen, waarom dat bord daar hing. Waarom verkocht Otto's vader ineens zijn snackbar? En vooral: waarom was Otto daar zo verdrietig over?
Ineens kwam Otto's vader naar buiten. Hij had de drie vrienden van zijn zoon al een hele tijd zien zitten. Hij stak de straat over en ging naast de jongens op de bank zitten.
'Jullie zijn verbaasd, hè?'
De jongens knikten heftig. Hans kuchte en zei: 'Otto heeft de hele ochtend al de pest in. Hij wil niet eens met ons praten.'
Otto's vader knikte en met een zucht zei hij: 'Hij heeft vannacht nauwelijks geslapen. We moeten weg uit het dorp.'
Plotseling begrepen ze alles. Dat was de reden. Otto ging verhuizen! Zo maar ineens. Weg van de plek waar hij was opgegroeid. Waar hij zijn vrienden had, waar hij een van de beste spelers in het jeugdteam van de voetbalclub was.
'Maar waarom?' vroeg Hans, die zich probeerde voor te stellen hoe afschuwelijk hij het zou vinden om te moeten verhuizen.
'Geld, jongen,' antwoordde de vader van Otto. 'Dat is het hele probleem. Ik moet nodig een nieuwe frituuroven kopen. Dat ding waar ik nu mijn patat en mijn bamiballen in bak is helemaal op. De mensen van het gasbedrijf zijn geweest en hebben hem afgekeurd.'
'Dan leent u toch geld bij de bank,' zei Michael.
Otto's vader schudde zijn hoofd. 'Ze zien me aankomen. Twee jaar geleden heb ik al moeten lenen om een nieuwe diepvries te kopen. Ik weet nu al niet meer hoe ik die lening moet terugbetalen.'
'Is die zaak van uzelf?' vroeg Michael.
'Ja, dat wel, maar ik heb een hoge hypotheek. Die moet ik ook aflossen.'

Michael knikte instemmend en Hans en Tim keken met open mond naar hun vriend, die kennelijk alles af wist van leningen en hypotheken.
'Wat is dat?' vroeg Hans.
'Nou, gewoon,' zei Michael zo achteloos mogelijk, alsof hij dagelijks met hypotheken omging, 'als je een huis koopt, kun je daarvoor ook geld lenen en dat noem je een hypotheek.'
'En iedere maand moet je een beetje van dat geleende geld terugbetalen,' ging Otto's vader verder.
'Maar... eeh...' zei Tim, die het moeilijk vond om erover te praten, 'u verdient toch ook?'
'Niet genoeg, jongen. Ik heb eigenlijk een snackbar. Dat wil zeggen, dat je verwacht dat de mensen ook een hapje bij je komen eten. Maar dat gebeurt te weinig. De mensen komen voor een zakje patat, een kroket of een bamibal, maar niet om nou eens uitgebreid te eten. Voor de toonbank staan altijd wel klanten voor een ijsje of een patatje, maar de tafeltjes zijn meestal onbezet. Daar kun je zo'n grote snackbar niet mee aan de gang houden. Nee, ik verkoop de hele tent, los mijn schulden af en vertrek.'
'Waarheen?' vroegen de jongens bijna tegelijk.
'M'n broer heeft een timmerfabriekje in Drente. Daar kan ik gaan werken.'
Tim keek naar Otto's vader en zag zijn treurige gezicht. Die is net zo treurig als zijn zoon, dacht Tim en hij zei, om hem een beetje op te vrolijken: 'Het is geloof ik, heel mooi in Drente.'
Otto's vader knikte. 'Dat is ook zo, maar ik was liever hier gebleven. Dit dorp is helaas te klein voor Snackbar Tedje.'
Hij keek naar de overkant en zag Otto nieuwsgierig voor het raam van de snackbar staan.

'Kom op,' zei hij, terwijl hij opstond. 'Ik trakteer jullie op een ijsje. Dat kan er nog wel af.'
De jongens liepen mee naar de overkant. Otto deed de deur open en was duidelijk opgelucht, toen zijn vader vertelde dat zijn vrienden alles wisten.
Hans legde zijn hand op Otto's schouder. 'Jammer dat je weggaat, Otto. We zullen je missen bij de voetbalclub.'
Otto probeerde te glimlachen, maar het kostte hem moeite.
'Waar gaan jullie wonen?' vroeg Tim.
'Noordveen,' gromde Otto.
'Daar zullen ze blij zijn met jouw komst. Bij F.C. Noordveen kunnen ze vast nog wel een goeie voetballer gebruiken.'
Michael keek Tim verbaasd aan. 'F.C. Noordveen?'
'Ja, zo zal die club wel heten. Voetballen doen ze overal, dus ook in Noordveen.'
'Wanneer verhuizen jullie?' vroeg Hans.
Otto's vader stopte de jongens een grote ijsco in de hand en antwoordde: 'Zodra de boel hier verkocht is, vertrekken we. Ik kan meteen bij mijn broer aan de slag.'
De jongens keken elkaar aan. Hans zei, wat ze alle drie dachten: 'Dus dat kan ook al volgende week zijn?'
Otto's vader knikte.
'Maar de schoolreis dan?' riep Tim verontwaardigd. 'Dan kan hij niet mee op schoolreis.'
Otto's vader draaide zich om en begon ijverig de frituuroven schoon te poetsen. 'Ik kan er ook niets aan doen,' ging hij verder, zonder de jongens aan te kijken. 'Ik vind het ook waardeloos. Wat mij betreft, waren we ook hier blijven wonen.'
Achter zich hoorden de jongens een zacht gesnik. Aan een van de tafeltjes zat Otto met zijn hoofd in zijn handen te

huilen. Zijn vader hoorde het ook en het leek wel of hij door een wesp werd gestoken. Met een ruk draaide hij zich om en hij schreeuwde: 'Hou op met dat stomme gejank! Je hebt al de halve nacht liggen janken!'
Otto sloeg plotseling met twee vuisten op tafel en riep huilend: 'Ik wil niet weg! Ik wil niet! Ga jij maar naar dat stomme Noordveen, maar ik blijf hier!'
Zijn vader stoof achter de toonbank vandaan en ging voor Otto staan. Met overslaande stem brulde hij: 'Nou moet je eens goed luisteren, jongen. Denk je dat ik het leuk vind om... om...'
Verder kwam hij niet. Zijn armen vielen slap naar beneden. Verslagen bleef hij voor Otto staan.
Hans, Tim en Michael stonden met ingehouden adem te kijken naar wat er allemaal gebeurde. Tim wilde net een lik van zijn ijsje nemen, toen de uitbarsting van Otto's vader kwam. Hij stond nu nog steeds in dezelfde houding. IJsje vlak bij zijn mond en zijn tong een stukje naar buiten.
Hans zag het en moest er eigenlijk vreselijk om lachen, maar hij durfde niet. 'Zullen we maar gaan?' fluisterde hij.
Otto's vader draaide zich naar hen toe. Er stonden tranen in zijn ogen. 'Sorry, jongens, dit was niet de bedoeling. Otto en ik zijn alle twee nogal gauw driftig en we hebben het er alle twee moeilijk mee om uit het dorp weg te gaan, vandaar... eeh...'
De drie jongens wisten niet goed wat ze moesten zeggen. Voor hen stond de grote, brede vader van Otto met tranen in zijn ogen en hij verontschuldigde zich ook nog.
Hij ging nu naast Otto zitten en legde een arm over de schouders van zijn zoon. 'Stil maar, jongen,' zei hij vriendelijk. 'Je zult zien dat het allemaal meevalt, als we er eenmaal wonen. Het is voor ons allemaal moeilijk. Mamma

IJS
MMMM
spec 125
met 270
PIN 180
KNOF 180
FRIK 21
PAT
IJS
BUR GER
BUR GER

vindt het ook niet leuk. Maar we zijn toch bij elkaar. Ook in Noordveen.'
Otto werd wat rustiger.
Zijn vader gaf hem een stevige zoen op zijn wang en stond weer op. De drie jongens stonden er wat onhandig bij. Zelfs Hans, die altijd even nuchter bleef en niet uit het veld was te slaan, keek maar zo'n beetje voor zich uit.
Het bleef even stil. Tim verbrak gelukkig de stilte.
'Tedje...' begon hij aarzelend en hij schrok van zichzelf. Natuurlijk had iedereen in het dorp het altijd over 'Tedje' als je naar de snackbar ging, maar als je er eenmaal was, dan zei je gewoon 'meneer' tegen Otto's vader.
Maar Tedje vond het kennelijk niet erg dat Tim hem zo noemde, want vriendelijk vroeg hij: 'Vertel 't es, Timmetje?'
'Nou, eeh...' ging Tim verder. 'Meneer Tedje... eeh...'
Otto's vader begon te bulderen van de lach en riep: 'Zeg nou maar Tedje òf meneer, maar niet menéér Tedje, dat hoeft niet!'
'Tedje,' zei Tim toen, 'kan Otto niet hier blijven tot het schooljaar afgelopen is? We gaan aan het einde van dit jaar toch uit elkaar, dus dan is het minder erg.'
'Ja,' juichte Michael, 'en dan kan hij wèl mee op schoolreis.'
'Ja maar...' zei Tedje.
Hans wist wat Tedje ging zeggen en riep: 'Otto kan zo lang bij mij wonen.'
'Of bij mij,' zei Tim.
Otto stond op en keek zijn vrienden dankbaar aan.
'Ja maar, jullie ouders,' wierp Tedje tegen, 'vinden die dat goed?'
'Vast wel,' antwoordde Hans. 'Het is toch voor Otto. Kom op, we gaan het meteen vragen!'
Hij liep naar de deur van de snackbar en keek recht in het

gezicht van Jochem en Tjerk, die naar binnen stonden te gluren. Ook zij hadden het bord 'TE KOOP' gezien en brandden van nieuwsgierigheid. Op het moment dat ze Hans op zich af zagen komen, stak Jochem zijn tong uit en toen namen ze de benen.
Otto zag het ook en hij werd weer helemaal de oude, want hij stoof naar de deur en riep strijdlustig: 'Daar heb je die twee sijsjeslijmers ook. Als ze me toch durven te pesten! Ik sla ze tot puin.'
Hans deed de deur open en keek de straat in. Hij zag de twee jongens nog net de hoek om gaan. 'Laat maar,' zei hij tegen Otto. 'Ze zijn al weg.'
Otto snoof vervaarlijk als een stier. 'Ik krijg ze nog wel. Eén woord en ik veeg het hele schoolplein met ze aan.'
Tim en Michael knikten hem instemmend toe.
'Wie waren dat?' vroeg Tedje.
'Twee kleuters uit groep zeven,' gromde Otto. 'Tjerk en Jochem. Die krullekop woont hier een stuk verderop om de hoek.'
'O, die ken ik wel,' zei Tedje, 'dat zijn toch aardige kerels.'
De jongens begonnen luid te protesteren. 'Poeh, aardig! Baby's! Stinkbomgooiers!'
En toen vertelden ze Tedje in geuren en kleuren wat er de afgelopen dagen op school precies was gebeurd.
Tedje moest er smakelijk om lachen, vooral toen Tim een uitstekende imitatie weggaf van mevrouw Dik, die wanhopig probeerde om alle kinderen weer de klas in te krijgen, nadat de stinkbom was ontdekt. Tedje vond het trouwens terecht van die stinkbom. 'Hadden jullie maar niet dat geintje met dat schriftenhok moeten uithalen. Ik kan me voorstellen dat die Jochem en Tjerk iets terug wilden doen.'
De jongens protesteerden weer, maar niet erg heftig dit

keer. Diep in hun hart waren ze het best met Tedje eens.
'En dat van dat meisje uit jullie klas,' ging Tedje verder, 'die verliefd is op die krullebol, daar zou ik ook maar niet zo moeilijk over doen. Jullie kunnen beter proberen een beetje de vrede te bewaren. Als jullie niet oppassen, dan laat die Dik de schoolreis inderdaad niet doorgaan. Blijft Otto voor niks hier.'
'Maar als ze me nou gaan treiteren, omdat we de zaak moeten verkopen,' reageerde Otto fel.
'Dat doen ze niet,' antwoordde Hans rustig. 'Daar zal ik wel voor zorgen.'
'Een flink pak op hun donder!' riep Otto zwaaiend met zijn vuist. Tim was het met hem eens.
Hans schudde zijn hoofd. 'Niks pak op hun donder. Dan wordt Dik helemaal knetter en ik denk dat Vonk zo langzamerhand ook met straf gaat smijten. Hij maakt er nou nog niet zo'n toestand van, maar als we doorgaan met ruzie maken, dan krijgt hij er ook genoeg van.'
Otto's vader stond instemmend te knikken. 'Heel verstandig, jongen. Wat was je van plan?'
'We moeten met ze praten,' stelde Hans voor.
De andere jongens begonnen weer door elkaar te roepen. 'Onzin! Niks praten, ràmmen! Ze luisteren toch niet.'
Hans liet zijn vrienden even uitrazen en zei toen droog: 'Goed, dan geen schoolreis.'
Er viel even een stilte en daarna klonk er wat instemmend gemompel. Overtuigend klonk het niet, maar Hans was tevreden.
'Vanmiddag, na schooltijd gaan we praten,' zei Hans. 'Bij het kunstwerk. Ik zal het wel tegen ze zeggen.'
'En nu iedereen naar huis,' zei Tedje. 'Je moeder weet niet waar je blijft.'

De jongens verlieten in looppas Snackbar Tedje en nog geen tien minuten later rinkelde de telefoon.
Otto nam op. Het was Hans, die zei: 'Mijn moeder vindt het goed. Je kan zolang bij ons wonen.'
Opgelucht rende Otto naar boven, waar zijn vader net uitgebreid aan zijn vrouw zat te vertellen, wat voor een stel prima vrienden Otto had.

De 'vredesconferentie'

Toen Maaike, Jochem en Tjerk die middag het schoolplein op kwamen lopen, stoof Melanie meteen op hen af. Ze begon weer allerlei vervelende opmerkingen te maken.
Jochem haalde zijn schouders op en zei tegen Tjerk en Maaike: 'Trek je maar niks aan van dat kind.'
Melanie grijnsde en riep: 'Moet je het echtpaar zien met hun lijfwacht!'
Dat laatste sprak Jochem erg aan. Nu Melanie met militaire termen begon te gooien, kon hij zijn hart ophalen. 'Moet je dat slagschip zien!' riep hij. 'Eén torpedo en ze zinkt.'
Melanie kwam met grote stappen op Jochem af. Die nam de benen en riep vanaf een veilig afstand: 'In de reddingboten! Het vliegtuigmoederschip valt aan.'
Toen hij zich omdraaide, botste hij tegen Hans op.
'Grijp hem!' gilde Melanie en ze stormde op Jochem af.
Hans weerde haar af. 'Ophouden!'
'Ja, maar, hij scheldt mij uit voor vliegtuigmoederschip.'
Tim, die vlak achter Hans stond, dook proestend weg: hij vond het wel een leuke grap van Jochem. Melanie pakte Jochem bij zijn arm, maar Hans trok haar arm los en zei weer: 'Ophouden.'
Jochem, die het toch tamelijk benauwd had gekregen toen Hans ineens achter hem stond, begreep er niets van: Hans verdedigde hem zomaar tegenover Melanie.
'We willen vanmiddag met jullie klas praten,' zei Hans, 'na schooltijd bij het kunstwerk.'
Jochem haalde opgelucht adem en voelde dat hij weer op

vertrouwd terrein kwam. ‘Groep acht wil onderhandelen?’
‘Zoiets,’ antwoordde Hans.
‘Een vredesconferentie, dus?’
Hans kreunde even. ‘Als jij het zo wilt noemen, oorlogsgek, vooruit dan maar.’
‘Ik ben geen oorlogsgek,’ verweerde Jochem zich. ‘Ik bestudeer de oorlog om beter voor de vrede te kunnen zorgen.’
‘Het zal wel,’ zei Hans. ‘In elk geval vanmiddag na schooltijd.’
‘Uit hoeveel mensen bestaat jullie vredesdelegatie?’ vroeg Jochem.

Nu wist Hans het even ook niet meer. 'Wat bedoel je, man. Praat gewoon.'
Tim vond het wel leuk wat Jochem allemaal zei en hij antwoordde met een deftige stem:'De vredesdelegatie van onze klas zal bestaan uit vijf ongewapende leerlingen. Misschien kunnen jullie je wapens ook thuis laten. Dat praat wat prettiger.'
Jochem keek Tim stralend aan: eindelijk iemand uit groep acht die dezelfde taal sprak.
'O, ja,' zei Hans, 'en verder wilde ik vragen of jullie tot vanmiddag vier uur in elk geval geen flauwe opmerkingen willen maken tegen Otto. Over die snackbar en zo.'
'Ah...' Jochem klonk heel tevreden. 'Jullie willen een voorlopig bestand tot vanmiddag vier uur.'
Hans draaide zich om naar Tim en zei: 'Ik word zo moe van die jongen. Leg jij het 'm even uit.'
Tim deed een stap naar voren en zei: 'Inderdaad, een voorlopig bestand.'
Hans keek van Tim naar Jochem en van Jochem naar Tim en vroeg: 'Betekent dat, dat ze Otto met rust laten?'
Jochem en Tim knikten tegelijkertijd.
Hans liep langzaam weg, hief zijn handen wanhopig op en riep: 'Ze zijn alle twee gek!'
Tim en Jochem schudden elkaar de hand en namen met een enkel 'tot vanmiddag bij de conferentie' afscheid van elkaar.
Jochem liep opgewekt terug naar Tjerk en Maaike en vertelde wat er ging gebeuren. 'Ze zijn bang dat we Otto te veel pesten,' voegde hij eraan toe. 'Het is vast mis met die snackbar.'
Toen ze naar binnen moesten, overlegden Tjerk en Jochem wie ze mee zouden vragen naar de 'conferentie'. Iedereen

uit hun groep wilde wel, toen ze het in de klas vertelden. Zoals gewoonlijk was mevrouw Dik er nog niet. Meestal had ze nog iets te regelen of stond ze met een ouder te praten. Dat was het leuke van bij de directrice in de klas zitten: ze moest vaak even de klas uit of kwam te laat. Aan de andere kant hadden de kinderen wel eens het gevoel dat mevrouw Dik het zo druk had, dat ze te weinig tijd voor haar klas overhield. Nu kwam het in elk geval goed uit, want ze konden nog even met elkaar overleggen.
Het was eerst een hels kabaal, maar Jochem klom op een stoel en riep: 'Hou nou even je mond. Als we zo'n keet maken, staat Dik zo hier binnen en knalt wat staartdelingen op het bord.'
Het was meteen vrij rustig en Jochem vroeg wie allemaal konden die middag om vier uur. Bijna de helft van de klas stak een vinger op.
Jochem wees eerst Tjerk en Bram aan.
Een paar kinderen riepen: 'Vriendjespolitiek!'
Daarom wees Jochem meteen de hardste schreeuwster aan. Dat was Carolina. Een klein, fel kind met gitzwarte haren, dat Jochem altijd een beetje zat te plagen. Om die reden mocht hij haar eigenlijk niet zo graag, maar volgens sommige andere kinderen uit de klas kwam het doordat Carolina juist op hem was. Dat vond Jochem helemaal vervelend. Hij vond het maar flauwekul. Dat Tjerk, zijn beste vriend, nou toevallig op iemand was, moest hij zelf weten, maar voor Jochem hoefde dat allemaal nog niet.
Ten slotte wees hij José aan. Zij was zo'n beetje de grootste van de klas. Iedereen vond haar aardig. Ze was altijd even vriendelijk, behalve als ze kwaad werd. Met haar lange armen kon ze flinke meppen uitdelen. Ze was een van de kinderen die het altijd opnamen voor de zwakkeren in de klas,

maar ze koos nooit echt partij. Daarom mocht iedereen haar graag en was niemand ertegen dat José er vanmiddag bij zou zijn.
Toen mevrouw Dik even later binnenkwam, zaten ze rustig in hun bibliotheekboek te lezen. Ze pakte de landkaart van Frankrijk en hing die voor de klas.
'Hoi, aardrijkskunde!' werd er door de klas gemompeld.
Mevrouw Dik reisde in haar vakanties altijd de halve wereld af en kon daar interessant over vertellen.
'Vorig jaar was ik in Zuid-Frankrijk,' begon ze en ze wees het gebied aan op de kaart. Iedereen zakte een beetje onderuit op zijn stoel, want het beloofde een leuke les te worden.

In groep acht waren ook vijf kinderen uitgekozen. Hans had meester Vonk verteld dat er die middag gepraat zou worden.
Vonk had zijn klas in een kring gezet en Hans een compliment gemaakt voor zijn plan. Inmiddels wist bijna de hele klas al dat Snackbar Tedje te koop stond en toen Otto op school kwam, wilde iedereen weten wat er aan de hand was.
Hans haalde Otto ertoe over om het maar gewoon te vertellen in de klas. 'Dan ben je van het gezeur af,' zei hij.
Het kostte Otto wel moeite, maar het idee dat hij in elk geval tot het einde van het schooljaar kon blijven, maakte toch dat hij niet weer begon te huilen, toen hij het zijn klasgenoten vertelde. Michael hielp hem een beetje door uit te leggen hoe het zat met de hypotheek en de frituuroven die afgekeurd was. Maar toen hij begon uit te leggen dat 'de omzet te laag was voor zo'n grote snackbar', begrepen de meeste kinderen het niet meer.

Meester Vonk kwam hem te hulp door te vertellen dat Otto's vader te weinig verdiende om zo'n grote snackbar draaiende te houden.
'Kunnen we dan niet wat doen voor Tedje?' riep Sandra. 'Een reclame-actie of zo?'
'Jaaaa!' gilde Walter enthousiast. 'Een actie. We gaan een optocht houden met spandoeken. Daar zetten we op: Tedje moet blijven.'
Iedereen was nu door het dolle heen. De fraaiste kreten werden gelanceerd voor de spandoekenoptocht. 'Koop uw kroketje bij Tedje', 'Tedjes patatten zijn schatten' en 'Een gehaktbal van Ted, smaakt niet pet'.
Toen iemand riep: 'Tedjes ballen zullen u bevallen!', zat de hele klas te gieren van de lach.
Meester Vonk kon met moeite zijn lach inhouden, maar hij vond het nu toch wel iets te grof worden. 'Zo kan-ie wel weer,' zei hij. 'We houden het wel een beetje netjes vandaag.'
Na enig gegniffel en gegiechel stelde Vonk voor eerst nog met Otto's vader te overleggen maar het leek hem in elk geval een goed plan. Daarna stuurde hij iedereen met zijn stoel naar de eigen plaats.
Terwijl de kinderen naar hun tafel stommelden, keek Willem Vonk tevreden de klas rond. Dit was weer een van die ogenblikken dat hij het ècht leuk vond om schoolmeester te zijn. Soms zag hij het niet meer zitten en had zin om iets heel anders te gaan doen. Er waren dagen dat de kinderen echt lastig en druk waren, hij hen met moeite stil kreeg en een les rommelig verliep. Maar op dit moment zou hij geen leuker vak weten dan onderwijzer. Ze zouden met Diks klas gaan praten over het geruzie en geharrewar en hadden ook nog even terloops besloten om een actie voor Otto's

vader te gaan houden. Vonk vroeg zich wel af of het veel zou helpen, maar het enthousiasme van de kinderen was zo groot, dat hij besloot zijn twijfel voor zich te houden.
Toch vertelde hij later in het kamertje vol trots aan de andere leerkrachten over de plannen van zijn klas: vrede en een actie voor Tedje.
De 'vredesconferentie' bij het kunstwerk verliep eerst erg rommelig. Tjerk, Jochem, Bram, Carolina en José stonden al te wachten toen groep acht kwam aanlopen. Hans liep voorop. Achter hem kwamen Tim, Sandra, Walter en Melanie. Na het geharrewar tussen Jochem en Melanie op de speelplaats leek het Hans verstandig om Melanie ook mee te nemen. Jochem wilde iedereen de hand schudden om zo, zoals hij zei 'een eerste gebaar van goede wil te maken'. Sandra kreeg een giechelbui. Hans vond het belachelijk en Carolina, die inmiddels boven op het kunstwerk zat, riep: 'Jochem, doe normaal!'
'Ik doe normaal!' beet Jochem haar verontwaardigd toe en hij schudde de hand van Tim, die tenminste begreep hoe je een vredesconferentie begint.
Bram, die net zo klein was als Carolina en daarom bij haar op het kunstwerk was geklommen om het allemaal goed te kunnen overzien, zwaaide met beide armen in de lucht en riep: 'Leve de vrede, weg met de oorlog tussen groep zeven en acht!'
Zijn heldhaftig optreden werd ruw verstoord door mevrouw Dik, die haar hoofd uit het raam stak en vinnig riep: 'Van het kunstwerk af!'
Snel doken Bram en Carolina weg en sprongen naar beneden.
'Kom,' zei José, 'niet zeuren. Wat spreken we af?'
Hans legde nu rustig uit, wat er met Otto aan de hand was.

'Het is hartstikke rot voor hem dat hij weg moet, daarom willen we niet dat hij gepest wordt,' besloot hij zijn verhaal.
'Dat is zo,' zei Carolina. 'Ik ben in mijn leven al twee keer verhuisd en dat ìs rot.'
Jochem keek de achtste-groepers ernstig aan en vroeg: 'Als wij Otto met rust laten, wat stellen jullie daar dan tegenover?'
'Niks!' schreeuwde Melanie. 'Als jullie Otto pesten, kan je een opdonder krijgen.'
Jochem draaide zich om naar zijn klasgenoten en zei plechtig: 'Kom, dames en heren, wij gaan. De vijand is tot geen enkele concessie bereid.'
Hans ontplofte. 'Wat nu weer!' riep hij en hij stootte Tim aan. 'Praat jij eens met die jongen. Hij zegt van die rare dingen.' Daarna draaide hij zich om naar Melanie en beet haar toe: 'Houd jij in elk geval je mond!'
'Poeh,' antwoordde Melanie, maar het leek haar toch beter zich verder stil te houden, want ze zag dat Hans echt boos werd.
'Kijk,' zei Tim, 'het zit zo.' Hij krabde even op zijn hoofd. 'Als we doorgaan met dat geruzie, dan gaat misschien de schoolreis niet door. We moeten er gewoon mee ophouden, anders niks.'
'En Maaike dan?' vroeg Jochem.
Tjerk bloosde, maar probeerde strak voor zich uit te kijken en net te doen alsof er niets aan de hand was.
'Die verraadster,' zei Sandra zacht.
'Ach, kind, stel je niet aan,' reageerde Walter rustig. 'Wat Maaike heeft gedaan, is heel mooi. Zij heeft haar minnaar gered uit het schriftenhok.'
Iedereen begon nu te lachen. Tjerk werd nog roder. Het liefst was hij weggelopen, maar hij bleef toch staan.

‘Let niet op hem,’ zei Jochem, die het voor zijn vriend wilde opnemen. ‘Hij slaat even op tilt. Dat is zo over.’
Walter ging midden in de kring staan. ‘Vonkie heeft zelf gezegd dat hij het fijn zou vinden als er méér kinderen waren met zulke sappen.’
Nu sloeg Jochem even op tilt. Met open mond keek hij Walter aan.
Die zag het en legde uit: ‘Als twee kinderen verliefd zijn, is dat niet tegen te houden. Iedere mens heeft sappen in zijn lijf, die maken dat hij...’ Verder kwam hij niet, want Carolina schaterde het uit en dat werkte zo aanstekelijk dat iedereen begon mee te lachen.
Walter stapte minzaam glimlachend de kring uit en ging op het kunstwerk zitten, terwijl hij mompelde: ‘Jullie begrijpen er niets van, maar dat komt nog wel.’
Opnieuw klonk nu de snerpende stem van Dik over het plein: ‘Wat heb ik nou gezegd!’
Walter sprong wel een meter de lucht in, wat de pret alleen maar verhoogde.
Nadat iedereen uitgelachen was, zei Walter: ‘Volgens mij heeft Dik verkéérde sappen.’ Weer begon iedereen te lachen, maar nu knikten alle kinderen instemmend naar Walter. Tevreden keek Walter de kring rond: eindelijk hadden ze er iets van begrepen!
‘Goed,’ zei José, die vond dat het lang genoeg had geduurd. ‘We houden op met dat geruzie tussen onze klassen. Jullie pesten Maaike niet met Tjerk en wij Otto niet met zijn snackbar.’
‘Maaike met Tjerk en Otto met de snackbar,’ herhaalde Carolina grinnikend.
‘Aha!’ riep Walter. ‘Maar vergeet niet, Maaike heeft heel andere sappen dan een snackbar. Bij Tedje hebben ze sinaasap-

pelsap en tomatensap en bij Maaike is het liefdessap.'
Sandra begon weer te giechelen, maar Hans kreeg genoeg van dit melige gedoe. Hij keek Jochem aan en vroeg: 'Afgesproken?'
Jochem stak zijn hand uit en nu was het geen plechtige vredesconferentie-hand, maar gewoon de welgemeende hand van een zevende-groeper, die de schoolreis niet op het spel wilde zetten en het ook nog voor zijn vriend opnam.
Hans greep de uitgestoken hand en even later liep iedereen tevreden naar huis. Maaike liep met Tjerk, Jochem en Walter mee.
'Dit was een mooie bijeenkomst,' zei Walter plechtig. 'Jammer dat Dik er af en toe doorheen krijste.'
Jochem wreef in zijn handen. 'Zo, de vrede is gesloten, nu nooit meer oorlog!'
Maar ze wisten niet, dat het niet zo lang zou duren voordat er weer oorlog zou zijn. En dat, zonder dat ze het zelf wilden...

Vrede, maar niet lang

De dagen na de 'vredesconferentie' bij het kunstwerk verliepen zeer rustig. De kinderen van de twee klassen groetten elkaar zelfs in de gang of voetbalden zonder problemen met elkaar op het veldje naast de school. Vroeger, als groep acht tegen de rest van de school wilde spelen, schreeuwden ze: 'Het achtste groepie tegen het soepie!' Maar nu werden er gewoon twee partijen gekozen en maakte het niet uit in welke klas je zat.
Jochem kon niet nalaten plechtig vast te stellen dat 'groep acht om wille van de lieve vrede wel erg ver wilde gaan'. Dat vonden ze zelf ook, maar aan de andere kant waren ze blij dat er een einde kwam aan alle pesterijtjes. Hoe vaak hadden ze niet elkaars banden laten leeglopen of alle jassen aan elkaar geknoopt. Tegen Maaike deden de meeste kinderen ook weer normaal. Sandra en Ankie werkten weer gewoon met haar samen in het taakuur. Eén keer had Sandra nog gezegd dat ze het maar raar vond dat Maaike op zo'n baby was. Ankie vond dat onzin en zei: 'Ach, kind, maak je toch niet druk. Dat moet Maaike toch zelf weten. Ze heeft nog met Tjerk in bad gezeten, toen ze klein waren.' Dat wist ze, omdat Maaike haar wel eens foto's van vroeger had laten zien. Sandra begon te proesten en Melanie, die altijd op de verkeerde momenten langs kwam, had ook wat opgevangen. 'Wat zei je over Tjerk en Maaike?' vroeg ze poeslief.
'Niks,' zei Ankie net zo poeslief terug, want ze wilde niet dat Melanie weer alles ging rondbazuinen.

Melanie vond het wel jammer dat het zo rustig was op school, want ze deed niets liever dan bekvechten met andere kinderen. Daarom maakte ze af en toe maar eens flink ruzie in de klas met Frankie.
De meeste achtste-groepers dachten de laatste dagen eigenlijk nauwelijks meer aan groep zeven, nu ze langzamerhand helemaal vol waren van wat hen over een week te wachten stond: de schooltoets. Toen ze nog bij mevrouw Dik zaten, was die al begonnen ermee te dreigen... Als je eens een keer niet goed oplette, zei mevrouw Dik: 'Ja, let vooral niet op. Dan weet je volgend jaar helemaal niks met de toets.'
Nu bleek dat het eigenlijk allemaal meeviel. Meester Vonk zeurde nooit over de toets en had uitgelegd dat het een van de hulpmiddelen was om te kijken naar welke school je ging na de basisschool.
'Wat veel belangrijker is,' zei Vonk, 'is wat de meesters en juffen hier op school van jullie zeggen. Die hebben jullie jarenlang meegemaakt. Een schooltoets is maar een momentopname, een foto. Maar ik heb de héle film gezien.'
Dat stelde de kinderen wel gerust, maar toch, naarmate de dag van de toets naderde, werden sommigen een beetje zenuwachtig. Ze hadden de laatste tijd wel wat oude toetsen gemaakt en die vielen best mee, maar nu de 'echte' voor de deur stond, zagen ze er toch tegen op.
Ze vergaten zelfs een beetje het hele plan om een reclame actie voor Snackbar Tedje te houden. Toen Tim er nog een keer over begon, zei Otto dat het niet meer nodig was. Er was al iemand geweest die misschien de zaak wilde kopen. Volgende week zou de beslissing vallen.
Meester Vonk liet het verder maar zo. Aan de ene kant was het hartverwarmend dat zijn klas iets voor Otto en zijn ou-

ders wilde doen. Aan de andere kant zou het waarschijnlijk toch niet veel meer helpen.

Op de dag van de toets stond de klas in groepjes op het schoolplein te wachten tot ze naar binnen mochten. Sandra voerde het hoogste woord, samen met Melanie. Ze verzekerden iedereen dat het hartstikke makkelijk was.
'Rekenen wel, ja,' zei Walter, 'maar spelling zal wel een ramp worden bij mij.'
'En dat stomme stilleesstuk,' zei Tim benauwd.
'Daar is juist niks aan!' riep Sandra triomfantelijk. 'Dat is toch multiepel saus of zoiets. Je krijgt toch steeds vier antwoorden bij een vraag en dan moet je het goede kiezen.'
'Je bedoelt multiple choice,' verbeterde Michael in keurig Engels.
Sandra keek hem aan en antwoordde pesterig: 'Ach, Michaeltje weet het weer beter.'
De bel ging en druk pratend ging de klas naar binnen. Ze moesten hun tafels uit elkaar zetten en Vonk deelde de papieren van de eerste toets uit.
Ze begonnen met rekenen. Twintig verhaaltjessommen over moeders die boodschappen doen, vaders die tegels in de tuin leggen en kinderen die water in een aquarium gieten. Daarna kregen ze een lang verhaal waarover ze vragen moesten beantwoorden. Het was inderdaad 'multiepel saus' zoals Sandra zei.
Na afloop vonden de meesten dat het meeviel. Op de gang stond een heel stel zevende-groepers hen op te wachten. Ze waren nieuwsgierig om te horen hoe het was geweest. Dit was een van de momenten waarop groep zeven ècht een beetje opkeek tegen groep acht.
De kinderen van groep acht voelden zich dan ook even

heel belangrijk en begonnen behoorlijk op te scheppen over de 'moeilijke toets'.
Zelfs Jochem stond vol bewondering te kijken naar de kinderen die naar buiten kwamen.
'Viel het mee?' vroeg hij aan Walter.
'Ach,' zei Walter en hij keek verwaand om zich heen, 'eenvoudig was het niet, maar voor ons, met onze kennis en ervaring, was het een peuleschilletje.' Daarna viel Walter uit zijn rol en mopperde: 'Alleen die rare som over dat aquarium, daar kwam ik niet uit.'
'Er zat vierenvijftig liter water in,' zei Michael.
Walter keek hem beteuterd aan.
'O, jee, ik heb vierenvijftig miljoen liter water.'
Iedereen die het hoorde begon te lachen. Tim kwam niet meer bij en hikte: 'Vierenvijftig miljoen liter. Man, dat is waanzinnig veel. Dat zijn wel tien zwembaden of zo. Ik zie het al, dat je zo'n groot aquarium in je kamer hebt.'
Walter begon het nu ook leuk te vinden en hoopte dat de mensen die de toets nakeken er ook om zouden lachen en het niet fout zouden rekenen.
'Weet je wat ik altijd wel raar vind,' zei Sandra, 'dat in die sommen moeders altijd boodschappen doen en vaders tegelpaden aanleggen.'
Maaike en Ankie waren het daar helemaal mee eens, maar Hans zei: 'Onzin. Vrouwen horen het huishouden te doen.'
'Dat vind ik ook!' stemde Walter in. Hij was het eigenlijk best eens met Sandra, maar vond het leuk om de meisjes op de kast te jagen.
Sandra werd fel en riep: 'Jullie zijn een stel ongeëmancipeerde krukken!'
'Wat?' vroeg Hans.

'Weet je niet wat dat is?' vroeg Sandra. 'Nou, dan hoop ik dat je nooit trouwt, want die vrouw van jou heeft geen leven.'
'Jawel, hoor,' zei Walter. 'Die doet de hele dag boodschappen en Hans legt de hele dag tegelpaden aan.'
'Ach, man!' Sandra pakte Ankie en Maaike bij de arm en liep met hen de deur uit, terwijl ze riep: 'Ga zwemmen in je aquarium!'
Jochem stootte Tjerk aan en wees naar de meisjes, die gearmd het schoolplein afliepen. 'Zie je dat alles weer goed is tussen die meiden? Dank zij onze vredesconferentie.'
Jochem en Tjerk slenterden achter de meisjes aan. Ankie, Maaike en Sandra liepen als vanouds te giechelen en Jochem keek ernaar alsof het zijn persoonlijke prestatie was, dat Maaike weer gewoon omging met haar vriendinnen.

De volgende toetsdag vloog voorbij en toen Vonk aan het einde van de donderdagochtend de laatste toets ophaalde, was iedereen aardig tevreden.
Niet allemaal hadden ze alles echt goed gemaakt, al waren er altijd wel een paar toetsen redelijk gegaan. En daarna was het wachten op de uitslag.
Donderdagmiddag zouden ze gaan schilderen. Tussen de middag had Vonk alle verfspullen klaargezet en zodra de kinderen binnenkwamen, dirigeerde hij hen naar hun plaats.
Otto kwam als laatste binnensjokken. Zijn gezicht stond niet erg vrolijk.
'Wat is er?' vroeg Vonk.
'Ach, niks. Die vent die de snackbar zou kopen, wil het toch niet. Nou gaat het niet door en moeten we weer dat stomme bord 'TE KOOP' voor het raam hangen.' Moppe-

rend ging Otto op zijn plaats zitten en begon zijn nood te klagen bij zijn vrienden.
Sandra priemde haar vinger in de lucht en riep: 'Meester, dan kunnen we toch een reclame-actie houden voor Otto's vader! Nou die snackbar niet verkocht wordt.'
'Ja, ja!' klonk het van alle kanten.
Meester Vonk glimlachte. 'Er komt vast wel weer gauw een andere koper,' zei hij.
Otto schudde zijn hoofd en bromde: 'Volgens m'n vader kon het wel eens lang gaan duren.'
'Daarom juist,' riep Sandra. 'Daarom moeten we juist reclame maken. Dan verdient je vader toch nog wat.'
Hans was het daar helemaal mee eens. Die had het ontzettend jammer gevonden dat de hele actie de eerste keer niet doorging. 'Meester, je hebt de verf al klaargezet. We hoeven alleen nog maar de spandoeken te schilderen.'
Vonk keek de klas rond en begreep dat hij er nu niet meer onderuit kon. Ach, een beetje extra reclame voor Otto's vader kon nooit kwaad. 'Vooruit dan,' zei hij.
Er ging een gejuich op en er werden meteen weer de dolste kreten voor op de spandoeken gelanceerd.
Vonk liep naar het gootsteenkastje en haalde daar een paar oude lakens uit. Hij knipte ze in brede repen en voorzag elk groepje van een stuk laken. De kinderen kregen de opdracht eerst met potlood de letters en de figuren erop te zetten en het daarna in te schilderen.
Alle groepjes gingen ijverig aan de slag en ze hielden elkaar goed in de gaten: iedereen wilde ervoor zorgen niet hetzelfde te maken als een andere groep.
Sandra, Ankie en Maaike schilderden op hun spandoek: 'Tedjes patatten zijn om te jatten'.
De groep van Hans schilderde een spandoek vol met zak-

ken patat, kroketten en bamiballen in de vorm van de letters 'Tedje'.
De groep van Walter kreeg van de meester een half laken en maakte daar een vlag van met een grote zak patat friet erop geschilderd.
Halverwege de middag kwam Tjerk de klas in met een briefje van mevrouw Dik voor meester Vonk. Hij keek de klas rond en vond de meester tussen de druk pratende kinderen. Vonk lag languit op de grond een slaatje op een spandoek te tekenen.
'Een ogenblikje,' grinnikte Vonk. 'Even m'n slaatje afmaken. Kijk maar wat rond.'

Tjerk bewonderde alle zakken patat, kroketten, frikadellen en ijsjes. Net toen Maaike hem stond uit te leggen wat ze van plan waren, kwam Melanie erbij staan. 'Wat kan je vriendinnetje goed tekenen,' zei ze poezelig, terwijl ze wees op de goed lijkende ijstaart die Maaike had getekend.
Tjerk beet op zijn lip en antwoordde zacht: 'Ja.'
Maaike pakte een kwast met rode verf en drukte die op de neus van Melanie. 'Kijk maar eens hoe mooi,' voegde ze eraan toe.
Melanie werd boos, rukte de kwast uit Maaikes handen en gaf een flinke veeg over de trui van Tjerk.
Meester Vonk zag het. 'Zeg, Melanie, doe even normaal.'
'Ja maar, zijn vriendin begon!' krijste Melanie vals.
De hele klas begon te lachen. Tjerk wilde wel door de grond zakken. Maaike trok hem aan zijn trui. 'Ze lachen niet om ons, maar om de rode neus van Melanie,' fluisterde ze.
Meester Vonk stuurde de kinderen naar de gootsteen en liet Melanie Tjerks trui schoonmaken. Met een handdoek veegde Vonk Melanies neus schoon. Nadat hij het briefje van Dik had gelezen, liet hij Tjerk weggaan met de boodschap dat het in orde was.
In de gang bleef Tjerk even staan. Hij had zich ontzettend opgelaten gevoeld. Eerst die opmerking van Melanie, toen die veeg op zijn trui en daarna ook nog Melanie die zijn trui stond schoon te vegen en het niet laten kon hem toe te fluisteren: 'Als je vriendin net zo zoent als ze tekent, dan zit je goed.'
Hij haalde even diep adem, stapte toen groep zeven weer binnen en meldde mevrouw Dik 'dat het in orde was'. Wat dat was wist hij niet, maar het kon hem niks schelen. Hij was dolblij dat hij weer veilig naast Jochem zat. Die zag meteen dat er wat aan de hand was en toen mevrouw Dik

even de klas uitliep, vertelde Tjerk hem wat er was gebeurd.
'Dit vraagt om een kleine wraakactie,' mompelde Jochem en zijn ogen begonnen te schitteren.
'Laat maar zitten,' zei Tjerk, 'het was niet héél groep acht. Het was alleen maar Melanie.'
'Melanie is óók groep acht. Dan moet dat kind d'r mond maar houden.' Jochem stond op en liep naar de groep van Bram en Carolina om hen erover in te lichten.

In groep acht waren ze het inmiddels al lang weer vergeten. Iedereen had het veel te druk met zijn spandoek. Voor het bord had meester Vonk kranten neergelegd om daarop alles wat klaar was, voorzichtig te laten drogen. Ze hadden afgesproken dat ze morgenmiddag na schooltijd hun actie zouden houden. Tevreden bekeken de kinderen elkaars werk.
'Dit zijn pas èchte kunstwerken,' zei Walter. 'Dat is nog eens wat anders dan die paar planken op de speelplaats.'
Vonk liet de klas opruimen, las nog een stuk voor en daarna ging iedereen naar huis.
Op het schoolplein kwamen Jochem en Tjerk op Melanie afstappen. Op aandrang van Tjerk had Jochem zich voorgenomen eerst nog met Melanie te praten.
'Ik dacht dat we vrede hadden gesloten,' zei hij op strenge toon.
'Poeh, jongen, vlieg op!' Melanie liep hem met opgeheven hoofd voorbij.
'Dit vraagt om een wraakactie!' riep Jochem haar na.
'Je doet maar wat je niet laten kunt!' riep Melanie terug en ze verdween om de hoek van de school.

Op school had meester Vonk een kleine discussie met mevrouw Dik. In het briefje had ze hem uitgenodigd na vie-

ren even te komen praten over de spandoeken voor Otto's vader. Ze vond het wat overdreven. Het kostte Vonk veel moeite om haar te overtuigen. Meester Gouw bemoeide zich er ook nog mee en was het met Willem Vonk eens. 'Als die kinderen dat nou echt willen, dan moet je dat gewoon doen,' zei hij. 'Het is voor een goed doel. Ik zou het jammer vinden als die Tedje weggaat uit het dorp. Kan ik 's avonds nooit meer met m'n vriendin een patatje halen.'
Uiteindelijk had mevrouw Dik maar toegegeven. Als Vonk dat nou echt wilde, dan zou ze hem niet tegenhouden. Maar ze bleef het een raar plan vinden. Meester Vonk moest in elk geval maar even de politie inlichten om te zeggen dat hij morgen om vier uur met zijn klas met spandoeken door het dorp wilde. De volgende ochtend zou blijken dat het niet nodig was...

Meester Vonk kwam nog net op tijd het schoolplein op. De bel ging al en hij stapte samen met zijn kinderen de school binnen. Toen ze de deur van hun lokaal opendeden, bleven ze als aan de grond genageld staan.
'Verdomme!' schreeuwde Hans.
In de klas was het één grote ravage. Tafels waren omgegooid, op het bureau van de meester was alles overhoop gehaald en wat het allerergste was: alle spandoeken waren aan flarden gescheurd.

Oorlog

'De spandoeken!' schreeuwden de kinderen. Iedereen duwde iedereen opzij om zo snel mogelijk in de klas te komen. Daar brak de hel los. Woedende kreten, verontwaardiging en wanhoop. Meester Vonk stond met stomheid geslagen: hij begreep er niets van. Iedereen schreeuwde door elkaar en het was zo'n kabaal dat er van alle kanten kinderen kwamen toelopen. Ook Jochem en Tjerk. Ze keken vanaf de gang door het raam naar binnen, recht in het gezicht van Melanie. Die zag hen en brulde woedend: 'Daar! Groep zeven heeft het gedaan! Jochem zei gisteren dat hij wraak zou nemen voor de verfvlek op Tjerks trui!'
Er klonk een woest oorlogsgehuil door het lokaal. Hans rende naar de gang, gevolgd door Otto en Tim. De hele klas ging achter hen aan. Vonk probeerde hen tegen te houden, omdat hij het ergste vreesde. Maar zijn klas was niet meer te houden. Hans stortte zich boven op Jochem en met een rauwe kreet vielen de twee jongens op de grond. Jochem wist eerst niet wat er gebeurde, maar veel tijd om daarover na te denken had hij niet, want hij moest zich verweren tegen de vuisten van Hans. Jochem voelde alle haat opstijgen die hij tegen de verwaande groep acht in zich had en begon verwoed terug te slaan. Tjerk, die zag dat zijn vriend er behoorlijk van langs kreeg, pakte Hans vast, maar Otto trok Tjerk los en schopte hem tegen zijn benen.
Dit leek het sein tot een algehele aanval. Zevende- en achtste-groepers begonnen elkaar te stompen, aan haren te trekken en elkaar omver te duwen. De gang was nu één

kluwen kinderen die onder luid gekrijs en getier elkaar te lijf gingen. Het was of alle boosheid over al die pesterijtjes, leeggelopen banden, aan elkaar geknoopte jassen en kreten als 'het achtste groepie tegen het soepie', 'die verwaande patsertjes uit groep acht' en 'die kleuters uit groep zeven' er in één keer uitkwam.
Willem Vonk wist niet wat hem gebeurde. Volkomen lamgeslagen keek hij naar zijn klas. Waren dit zijn kinderen? Was dit zijn klas? Dezelfde kinderen die altijd zo verstandig met elkaar praatten als er problemen waren? Die elkaars strafwerk maakten en het voor elkaar opnamen als er iemand in de verdrukking dreigde te komen? De klas die acties wilde houden voor Snackbar Tedje en zelfs met Diks klas ging praten om te voorkomen dat Otto gepest zou worden en dat mevrouw Dik de schoolreis zou verbieden? Meester Vonk kon het niet geloven. Al die vechtende en schreeuwende kinderen, het leek wel een boosaardige droom.
Inmiddels kwamen de andere leerkrachten aanlopen. Mevrouw Dik sloeg wanhopig haar handen ten hemel en begon aan de kinderen te rukken en te trekken. Met overslaande stem gilde ze: 'Ophouden, zeg ik! Ophouden!'
Maar de kinderen waren niet te stuiten. Dik greep Carolina bij haar haren. Die had net Melanie te pakken en ramde er flink op los: eindelijk had ze de kans dat vervelende kind eens te grazen te nemen. Toen Carolina voelde dat iemand aan haar haren trok, gaf ze een flinke trap naar achteren en raakte het been van mevrouw Dik. Mevrouw Dik schreeuwde van pijn, liet Carolina's haren los en gilde opnieuw: 'Ophouden! Ophouden!'
Meester Gouw wrong zich tussen de kinderen en begon hen boos uit elkaar te halen.

Willem Vonk, die nog steeds als verlamd stond te kijken, zag wat Gouw deed. Ook hij begon nu de kinderen los te maken en ook hij werd woedend. Zijn bril zakte op het puntje van zijn neus. 'Nu is het afgelopen!' donderde hij. 'Zijn jullie gek geworden? De klas in, iedereen!'
Het woeste stemgeluid van Vonk had inderdaad een kalmerende werking op de kinderen. Groep acht droop langzaam af naar hun eigen lokaal en groep zeven ging met Dik mee, die ten einde raad was.
'Dit is belachelijk!' riep ze almaar. 'Dit is vreselijk!'
In groep acht begon iedereen kreunend en steunend zijn tafel recht te zetten. De meeste kinderen zouden wel een blauwe plek of een krab of schram aan het gevecht overhouden. Hans stond bij de gootsteen zijn neus te deppen met een natte handdoek. Een dikke straal bloed sijpelde uit zijn neus. Bijna iedereen had meegevochten. Alleen Frankie was de klas in gevlucht. 'Lafbek,' beet Michael hem toe. Zelfs Walter en Maaike hadden hier en daar een flinke tik gekregen. Niet omdat ze zo hard hadden meegevochten. Toen het gevecht losbarstte, hadden ze juist geprobeerd de kinderen uit elkaar te halen, maar veel had het niet geholpen. Sandra en Ankie waren in de clinch gegaan met José, die eerst nog had geroepen dat ze niet wilde vechten. Maar toen Sandra haar een duw gaf, had José dat niet op zich laten zitten en een paar flinke meppen uitgedeeld. 'Wat is dat kind sterk,' kreunde Sandra.
Otto huilde. Nadat hij Tjerk had vastgegrepen, hadden Bram en nog een paar zevende-groepers hem op de grond gesmeten en waren boven op hem gaan zitten. Hij was bijna gestikt. Tim, die behendig de meeste klappen van zijn tegenstanders had opgevangen en nauwelijks een schram had, zat al op zijn plaats en mompelde: 'Dit is krankzinnig.

We zijn allemaal gek. Knettergek!'
Meester Vonk zei niets. Hij zat zwijgend op zijn tafel te midden van de ondersteboven gehaalde boeken en schriften en keek over zijn bril de klas in. Nadat iedereen wat gekalmeerd was en op zijn plaats zat, stond hij op. Hij ging voor de klas staan, maar wist eigenlijk nog steeds niet wat hij moest zeggen. De kinderen keken hem aan en het werd doodstil in de klas.
'Ik...' begon meester Vonk. Maar verder kwam hij niet. Hij zuchtte en zei toen: 'Pakken jullie je bibliotheekboek en ga maar lezen.'
Ankie stak haar vinger op. 'Meester, m'n boek is uit en ik ben vergeten te ruilen.'
'Dat kan me geen donder schelen!' brulde Vonk en hij schrok van zijn eigen uitval. Met angstige ogen keek Ankie hem aan. 'Ga maar wat voor jezelf doen,' zei Vonk nu zacht. Hij liep naar zijn tafel en begon die op te ruimen.

In groep zeven kregen de kinderen weinig kans om te kreunen en te steunen. Mevrouw Dik schreef een stel strafsommen op het bord en zette iedereen aan het werk. Jochem zat met een natte handdoek zijn oog te deppen, Hans had er een stevige vuistslag op gegeven en het zag helemaal blauw. Tjerk bond een zakdoek om zijn been; Otto had hem daar stevig geraakt.
'Ik begrijp het niet,' fluisterde Jochem tegen Tjerk. 'Waarom? Wat hebben we gedaan? Waarom dit offensief in de gang?' Hij kon het zelfs nu niet laten in oorlogstermen te spreken.
Tjerk haalde zijn schouders op. 'Ik weet het niet. Ik zag alleen, toen ik voor het gevecht hun klas in keek, dat het daar een grote puinhoop was. Alles lag ondersteboven en die

spandoeken waren allemaal stuk getrokken.'
'Mond dicht,' commandeerde Dik.
Jochem pakte een kladblaadje en schreef erop: 'Ze denken vast dat wij dat gedaan hebben.'
Tjerk knikte en Jochem schreef weer iets op het blaadje. 'Zo stom zijn we nou ook weer niet.'
Er werd geklopt en een grote agent stapte binnen. De kinderen keken elkaar verschrikt aan: zou het zo erg zijn dat Dik de politie had gebeld?
'Morgen, mevrouw,' zei de agent en hij tikte beleefd aan zijn pet. 'We komen voor die inbraak.'
Mevrouw Dik ging met de agent mee de klas uit. Op de gang stond nog een agent en samen liepen ze naar het lokaal van Vonk. Ook daar schrok iedereen toen Dik met twee agenten voor de deur stond.
Walter stootte zijn buurman aan en fluisterde: 'De sterke arm grijpt in.'
Mevrouw Dik vroeg aan Vonk of hij even op de gang wilde komen. Met een verbaasd gezicht ging Vonk met haar mee. Zodra de deur achter hem dicht was, begon iedereen druk te fluisteren.
'Dik is gek geworden,' zei Hans. 'Ze heeft de politie erbij gehaald.'
Melanie wipte zenuwachtig op haar stoel heen en weer en siste: 'We worden allemaal gearresteerd. We worden allemaal gearresteerd.'
Walters ogen begonnen te glimmen en hij riep zachtjes: 'We gaan de gevangenis in. Op water en brood.' Melanie begon bijna te huilen. Walter deed er nog een schepje bovenop. 'We worden met kettingen aan de muur geklonken.'
Sandra, Ankie en Maaike zaten druk te overleggen. Het

kon bijna niet waar zijn, dat Dik de politie had gehaald. Als er één was die altijd bang was de goede naam van de school te verspelen, dan was Dik het wel. Ze was vast niet zo gek om de politie erbij te halen.
'Ze zal wel weer beginnen over de schoolreis,' zei Sandra moedeloos. 'Die kunnen we nu wel vergeten.'
Ankie knikte. 'Het was ook idioot, dat gevecht. Voor ik wist wat er gebeurde, lag iedereen over de grond te rollen in de gang.'
Maaike giechelde: 'Dik was helemaal overspannen.'
Walter was er inmiddels in geslaagd om Melanie aan het huilen te krijgen met een eng verhaal over spinnen en ratten in de cel van het politiebureau.
Meester Vonk kwam weer binnen. Hij was duidelijk weer de oude, want hij begon meteen flink tekeer te gaan tegen zijn klas. 'Hoe komen jullie op het rare idee dat groep zeven hier de boel op z'n kop heeft gezet? Dat ze onze spandoeken hebben vernield? Vannacht is er ingebroken in de school. De dieven hebben hier in de klas naar geld gezocht, en in het kamertje. Omdat ze niets konden vinden, hebben ze uit wraak hier de hele klas ondersteboven gegooid en de spandoeken kapotgescheurd.'
Hans stak verontwaardigd zijn vinger op. 'Waarom heb je dat dan niet gezegd, meester?'
Vonk zuchtte eens diep. 'Denk eens na, Hans. Ik kwam samen met jullie de school binnen. Ik wist ook van niets.'
De kinderen begonnen druk door elkaar te praten. Walter vroeg: 'De dieven, meester, hebben ze die al?'
'Dat is nou juist de moeilijkheid,' antwoordde Vonk. 'We hadden alles in de klas moeten laten zoals het was, toen we vanochtend binnenkwamen. Maar door al dat gedonder van jullie heeft mevrouw Dik het niet kunnen zeggen. Nu

heeft het weinig zin om hier vingerafdrukken enzo te nemen. Ze gaan wel naar het kamertje.'
Een teleurgesteld gemompel ging door de klas. Dat hadden ze nou wel eens mee willen maken!
'Het is de schuld van Melanie,' zei Sandra fel. 'Die riep dat groep zeven het gedaan had.'
Verontwaardigd keek de hele klas naar Melanie.
'Jochem heeft het gisteren zelf gezegd,' reageerde ze boos. 'Hij zou wraak nemen voor die verfvlek.'
'Vieze gastarbeider!' riep Otto tegen haar. 'Door jouw schuld gaat de hele schoolreis...'
Toen gebeurde er van alles tegelijk. Meester Vonk gaf een enorme dreun met zijn vuist op tafel en brulde: 'Otto!' Melanie vloog van haar plaats, rende naar Otto die snel onder zijn tafel dook en beukte woedend op zijn rug.
'Ik bèn geen vieze gastarbeider!' riep ze huilend. 'Ik bèn geen vieze gastarbeider!'
Hans probeerde haar achteruit te duwen, maar ze was niet te houden. Meester Vonk kwam erbij en trok Melanie weg van Otto. Eerst wilde ze niet, maar toen liet ze zich gewillig meevoeren naar haar plaats, waar ze snikkend haar hoofd op haar armen legde en huilde met lange, diepe uithalen.
Meester streelde haar zacht door haar haren en probeerde haar te troosten. 'We zijn allemaal wat in de war,' zei hij zacht. 'En dan zegt iemand wel eens dingen waar hij later spijt van heeft.'
De meeste kinderen zaten met treurige ogen naar Melanie te kijken. Ze dachten terug aan een jaar of vijf geleden, toen ze net in groep vier zaten. Melanie was in de klas gekomen. Ze kwam met haar ouders uit Algerije. In het begin was ze nogal gepest en voor 'bruine' of 'gastarbeider' uitgescholden. Ze had het zich ontzettend aangetrokken en stil in een

hoekje gezeten. Maar de juf van groep vier had er met de kinderen over gepraat. Ze had ook heel veel verteld over het land waar Melanie vandaan kwam en langzamerhand ging het beter. Melanie leerde heel snel Nederlands en begon steeds meer van zich af te bijten. Ze liet zich niet meer in een hoekje drukken. Integendeel, ze zorgde ervoor dat ze altijd haantje de voorste was. Ze ging helemaal bij de klas horen en iedereen vergat zo langzamerhand dat Melanie eigenlijk uit Algerije kwam. Soms dachten de kinderen er nog wel eens aan, als ze bij Melanie thuis kwamen. Ze

had een Franse moeder en een Algerijnse vader en thuis werd er meestal Frans gesproken.
Door de opmerking van Otto was het net of alles van vroeger weer terugkwam. In gedachten zagen ze Melanie nog zitten: huilend op schoot bij de juf.
Op een keer was ze naar de kraan gelopen en had geprobeerd met een natte handdoek het bruin van haar gezicht te halen. De juf had moeten praten als Brugman om haar zover te krijgen dat ze ermee ophield. Later was Melanie trots geweest op haar bruine huidkleur en ze had diepe indruk gemaakt op de klas toen ze een keer voor de school een Fransman in vloeiend Frans de weg wees.
Maar nu zat ze daar weer, net als vijf jaar geleden. Eén hoopje ellende. Melanie, die anders zo'n grote mond had en voor niemand bang was, was weer het kleine, verdrietige meisje uit groep vier. De meeste kinderen begrepen nu dat die grote mond haar manier was geworden om zich niet in een hoek te laten drukken.
Langzaam werd Melanie wat rustiger. Meester Vonk liep naar zijn tafel en ging erop zitten. Hij zag dat Ankie haar stoel had gepakt en naast Melanie was gaan zitten met haar arm over Melanies schouder.
Willem Vonk keek de klas rond en zag de treurige gezichten van de kinderen.
'Om te beginnen,' zei hij, 'wilde ik zeggen dat het onzin is om Melanie de schuld te geven.' Zijn blik bleef even op Otto rusten, die zijn ogen neersloeg en zenuwachtig aan zijn trui wriemelde. 'Jullie doen net of je niet zèlf kunt denken. Melanie hoeft maar wat te roepen en jullie stormen er als een stel dolle stieren achteraan. Het is de schuld van jullie allemaal! Ik dacht ook even toen ik die puinhoop hier zag: groep zeven. Maar ik wist meteen zeker dat dàt niet waar

kon zijn. Zo stom zijn ze niet!' Meester Vonk wachtte even en voegde er toen zacht aan toe: 'Maar groep acht wel!'
Het bleef even stil. De kinderen keken elkaar aan: ze waren inderdaad stom geweest.
Vonk nam zijn bril af en wreef zich in zijn ogen. Bijna fluisterend zei hij: 'Ik ben hartstikke teleurgesteld in jullie.'
Beschaamd keken de kinderen in hun boek.
Er werd geklopt en Bram kwam binnen met een briefje. Meester las het en schreef er wat op. Toen Bram weg was, zei hij: 'Tussen de middag is er een extra vergadering van alle meesters en juffen.'
Walter vroeg: 'Dan wordt er zeker beslist dat de schoolreis niet doorgaat?'
'Ja, en ik zou niet weten wat ik moet verzinnen om jullie gedrag goed te praten.'
Melanie begon weer zacht te huilen. 'Het is wel mijn schuld,' stamelde ze zacht. 'Het is wel mijn schuld.'
Sandra stond op, liep naar Melanie en ging op haar hurken voor Melanies tafel zitten. 'Het is jouw schuld helemaal niet. Het was heel gemeen van mij om dat te zeggen. Vonkie had gelijk, we hadden beter moeten nadenken.'
Meester glimlachte bij de naam 'Vonkie'. Hij keek de klas rond en zag al die bedroefde gezichten. Sommige kinderen zaten op hun lip te bijten en deden moeite om niet te huilen. Zo was het zijn klas weer. Ze waren duidelijk geschrokken van hun eigen gedrag. Willem Vonk bedacht dat wat er ook gebeurde, hoe bont ze het af en toe ook maakten: het bleef een klas om van te houden. Voor zichzelf besloot hij om straks bij de vergadering zijn uiterste best te doen om de schoolreis te redden. Maar hij kende mevrouw Dik goed genoeg om te weten, dat dat vast niet zou lukken.

De maat is vol

'Ik vind het niet juist om ze zo zwaar te straffen, Clara,' zei meester Willem Vonk en hij keek mevrouw Dik bijna wanhopig aan. Alle leerkrachten van de school zaten in het kamertje om de grote tafel. Mevrouw Dik was nogal verontwaardigd geweest. Na de stinkbom en het gevecht vond ze dat de maat vol was. Er was nu nog maar één ding mogelijk: de vierdaagse schoolreis naar Zuid-Limburg ging niet door. Vonk had uitgelegd dat het een vervelende samenloop van omstandigheden was geweest: de kinderen hadden enthousiast gewerkt aan de spandoeken en net in de nacht daarna werd er ingebroken en vernielden de dieven uit boosheid het werk van de kinderen.
Meester Gouw was het met hem eens. Hij vond dat er niet te zwaar getild moest worden aan wat er die morgen gebeurd was. 'Het is natuurlijk niet handig van ze,' zei hij. 'Maar ze waren echt boos en dat gevecht tussen de twee klassen hing al een hele tijd in de lucht.'
'Ze hadden toch net vrede gesloten,' antwoordde mevrouw Dik, die zich nog heel goed kon herinneren hoe meester Vonk enthousiast in het kamertje kwam vertellen dat ze met elkaar gingen praten.
De juf van groep twee was het helemaal met mevrouw Dik eens. Ze vond toch al dat Willem Vonk te kameraadschappelijk met zijn klas omging. 'Nu zie je wat ervan komt,' zei ze pinnig.
Willem Vonk zuchtte. Hij kende dat verwijt en had haar al een paar keer uitgelegd dat hij niet anders kon werken met

een klas. Hij wilde geen meester zijn die hoog op zijn troon zat, maar die samen met de kinderen bezig was. Natuurlijk moesten ze af en toe op hun donder hebben, maar Vonk was ervan overtuigd dat je altijd moest proberen de dingen samen met de kinderen op te lossen.
Ook dit moest opgelost worden en daarom stelde hij voor de kinderen van groep zeven en acht met elkaar te laten praten. 'We zetten ze in de schoolzaal in een grote kring en praten het uit.'
Meester Gouw vond het een prima plan en meester Van Noord van groep vijf was er half voor. 'Aan de ene kant is het natuurlijk niet te accepteren wat er gebeurd is,' zei hij, 'maar anderzijds moeten de kinderen dit toch zelf oplossen, alhoewel een strenge aanpak ook te overwegen valt.'
Jeannette, de juf van de kleuters, vond het ook een goed idee. Ondanks dat ze pas voor het eerste jaar op school werkte, kon ze de aanpak van Vonk wel waarderen. Toen ze nog op de pedagogische academie zat om voor juf te leren, had ze een jaar lang één dag in de week als hospitant bij Vonk in de klas gestaan. In het begin was het wel wennen geweest, maar na een paar maanden ontdekte ze dat Vonk aardig wat bereikte met de kinderen. Ze konden tenminste hun gedachten onder woorden brengen, waren niet bang om voor hun eigen mening uit te komen en hadden geleerd zelfstandig te werken. Als ze na de basisschool naar het voortgezet onderwijs gingen, konden de meeste kinderen al aardig op eigen benen staan.
Mevrouw Dik keek de kring rond en schudde vertwijfeld haar hoofd. Vonk deed het voorstel de klas nog een kans te geven. Hij vond het ook niet helemaal eerlijk tegenover Diks klas: ook voor hen zou de vierdaagse niet doorgaan, terwijl ze nauwelijks schuld hadden aan wat er was gebeurd.

De juf van groep vier was het daar niet mee eens. Diks klas was dan weliswaar niet schuldig aan het grote gevecht, maar dat gevecht was ook een gevolg van alle pesterijen van de afgelopen maanden.
Na wat heen en weer gepraat hakte mevrouw Dik toch de knoop door: ze zag niets in een gesprek van de kinderen. Er moesten nu duidelijke straffen komen. De schoolreis ging niet door.
'Ja maar, Clara,' begon meester Vonk.
'Het spijt me, Willem. Ik kan die verantwoordelijkheid niet nemen. Als we straks in Limburg zitten en we krijgen weer dit soort toestanden... Ik heb daar absoluut geen zin in.'
Met een wild gebaar zette Vonk zijn bril af en smeet die op tafel. 'Ik vind dit belachelijk,' bromde hij en hij had de neiging om weg te lopen, maar omdat dat alles nog erger zou maken bleef hij zitten en keek boos naar buiten. Hij zag hoe zijn klas helemaal aan de andere kant van het veldje bij elkaar stond.
'Alleen,' vroeg meester Gouw, 'hoe doe je dat financieel, Clara? Dat is toch een soort jeugdherberg waar jullie altijd heen gaan? Die mensen zullen toch betaald moeten worden?'
Mevrouw Dik knikte. 'Ik zal ze wel bellen en het uitleggen. Die mensen zullen vast ook geen zin hebben in twee van die ruzieklassen.'
Voor Willem Vonk was dit de druppel die de emmer deed overlopen. Hij sprong op, zette zijn bril weer op en riep boos: 'Wat is dit allemaal voor onzin! Het zijn hele gewone klassen, die net zo aardig en onaardig tegen elkaar doen als andere jaren. Mijn klas voelt zich nou eenmaal altijd wat groter dan de andere klassen. Mogen ze! Volgend jaar zijn ze weer de jongsten, als ze in de brugklas komen.' Daarna

stampte hij woedend het kamertje uit en smeet de deur keihard dicht.
De andere leerkrachten keken elkaar aan. Meester Gouw kuchte. 'Ik denk dat dit erg moeilijk te verteren is voor Willem,' zei hij. 'Clara, ik vind echt dat je dit nog eens goed moet overwegen. Jij bent hier als directrice uiteindelijk verantwoordelijk. Ik begrijp best dat je dat geruzie tussen die kinderen zat bent, maar of dit nou de beste oplossing is, dat geloof ik niet.'
Mevrouw Dik gaf geen antwoord. Ook zij twijfelde nu. Ze had niet verwacht dat Willem Vonk het zich zo zou aantrekken. Hij vond het net zo erg als de kinderen, dat de schoolreis niet doorging.

Clara Dik besefte weer eens dat Vonk op een heel andere manier voor de klas stond dan zij. Zij probeerde zo goed mogelijk les te geven en ervoor te zorgen dat alle kinderen de leerstof begrepen. Ieder jaar kwamen er nieuwe kinderen, tegen wie je vriendelijk was, maar na een jaar gingen ze weer naar een volgende klas en dan was je hen vergeten. Voor Willem Vonk was dat anders. Ieder jaar weer was het niet zo maar een stel kinderen, maar waren het 'zijn' kinderen, aan wie hij les gaf, met wie hij ook vriendschap sloot en leuke en verdrietige dingen beleefde.
Aan de andere kant wist Clara Dik dat zij soms als directrice beslissingen moest nemen die niet altijd even aangenaam waren. Maar ook dan was zij heel duidelijk. Als zij iets echt niet wilde, dan stak ze dat niet onder stoelen of banken.
De andere juffen en meesters vonden dat overigens meestal wel prettig: je wist waar je aan toe was bij Clara Dik. Ze was altijd heel eerlijk en zei precies waar het op stond. En al was ze dan wat aan de ouderwetse kant, ze was een goede directrice en zorgde dat alles prima liep op school. In je klas kon je op je eigen manier met de kinderen werken, als je het maar niet al te bont maakte.
Meester Gouw stond op en vroeg: 'Wilde je nog meer bespreken, Clara?'
Clara Dik schudde haar hoofd. 'De rest bespreken we maandag om vier uur in de gewone vergadering.'
Gouw liep het kamertje uit naar het lokaal van groep acht. Daar zat Willem Vonk treurig met zijn hoofd in zijn handen achter zijn bureau. 'Bedankt,' zei hij toen Gouw binnenstapte. 'Het heeft niet aan jou gelegen, dat het feest niet doorgaat.'
Gouw legde zijn hand op Vonks schouder. 'Misschien draait Clara nog wel bij. Ze was nog steeds boos over die veldslag.'

'Ik hoop het,' zuchtte Vonk, 'maar ik reken er niet op. Als Clara eenmaal iets in d'r hoofd heeft, dan krijg je dat er niet meer uit. Al zou ze diep in d'r hart denken dat ze toch ongelijk heeft, ze zal het nooit hardop zeggen.'
'Troost je,' antwoordde meester Gouw. 'Maandag om vier uur is er weer een gewone schoolvergadering. Dan zijn we weer allemaal bij elkaar. Misschien kunnen we dan nog een poging wagen.'
'En m'n klas dan?' vroeg Vonk. 'Ik zal het ze toch moeten vertellen, want ik neem aan dat Clara het ook tegen haar kinderen zegt.'
Daar wist meester Gouw ook geen oplossing voor. Hij raadde Willem aan om het maar gewoon te zeggen. 'Als het toch nog lukt om Clara over te halen, dan valt het in elk geval mee.'

Op de speelplaats heerste ondertussen een bedrukte stemming. De meeste kinderen stonden in groepjes bij elkaar te praten over wat er die morgen was gebeurd. Zelfs de kleuters die anders ronddolden op het plein, hielden zich rustig. In de kleutergroep wist je al dat je later met elkaar op schoolreis mocht. Iedereen zag daar altijd vol spanning naar uit en ook de kleintjes hadden inmiddels begrepen dat het dit jaar wel eens niet door zou kunnen gaan.
Groep zeven stond bij elkaar op het plein, terwijl Vonks klas zich op het trapveldje had teruggetrokken. Zover mogelijk van groep zeven vandaan om te voorkomen dat er misschien weer ruzie zou ontstaan door een of ander toeval. Diks klas had inmiddels ook begrepen waarom groep acht zo boos was geweest. Tjerk had het die ochtend onder het speelkwartier van Maaike gehoord en de rest van zijn klas ingelicht.

Tussen de middag hadden veel kinderen thuis wel iets over de vechtpartij verteld. Maar over het algemeen hadden ze het wat minder erg gemaakt dan het eigenlijk was. De meeste kinderen snapten wel, dat het beter was als de ouders zich er niet mee zouden bemoeien. Wanneer er boze ouders op school zouden komen, dan had Dik helemaal genoeg reden om de schoolreis niet door te laten gaan.
Zelfs Jochem, die anders in dit soort gevallen zijn verontwaardiging volop liet blijken, was nogal stil geweest. Hij had nog wel een poging gedaan zijn moeder over te halen om met Dik te gaan praten. 'Ze overdrijft zo,' zei hij. 'Er was een stoeipartijtje in de gang tussen ons en een paar achtste-groepers. Hans sloeg me per ongeluk op m'n oog en nou zeggen ze dat Dik de schoolreis niet meer wil.'
Zijn moeder geloofde er niet zoveel van. 'Het zal wel veel erger zijn geweest, anders doet mevrouw Dik zoiets niet.'
Jochem had het toen maar opgegeven. Hij was allang blij dat zijn moeder verder niets meer zei over zijn blauwe oog.
Toen zo'n beetje de hele klas op het plein om Jochem heen stond, stelde hij voor: 'Toch moeten we dit niet op ons laten zitten. Die stomme groep acht! We hadden vrede gesloten en toch vielen ze aan. Ik vind dat we ze buiten schooltijd flink te grazen moeten nemen. Dan heeft Dik er niets mee te maken.'
'En de schoolreis dan?' vroeg Carolina, die vlak naast Jochem stond.
Jochem sloeg zijn armen zelfverzekerd over elkaar en zei: 'Die zal wel niet doorgaan en ook als die wel doorgaat, dan vind ik nog dat een kleine wraakactie op zijn plaats is.'
José drong zich naar voren en ging voor Jochem staan. Ze was een stuk groter en Jochem moest zijn hoofd in zijn nek leggen om haar te kunnen aankijken.

'Nou moet jij eens ophouden met die rare wraakacties,' begon José. 'Weet jij eigenlijk wel waarom ze dachten dat wij die spandoeken kapot hadden gemaakt?'
'Nee,' antwoordde Jochem.
'Omdat jij gisteren tegen Melanie had gezegd dat je wraak zou nemen voor de vlek op Tjerks trui. Ik hoorde het haar vanmorgen zelf roepen, vlak voordat we begonnen te vechten.'
'Vlak voor het gang-offensief,' verbeterde Jochem.
'Hou toch op, wandelend geschiedenisboek,' ging José verder. 'Praat gewoon. En hou vooral op met die wraakacties.'

Er barstte een felle discussie los over wat ze nu verder zouden doen.
Heel wat kinderen waren het met Jochem eens en vonden dat ze in het weekend groep acht eens flink te pakken moesten nemen. Gewoon op straat of in het zwembad, waar zich maar iemand vertoonde. In elk geval ver uit de buurt van Dik en de andere juffen en meesters.
Andere kinderen, onder aanvoering van José, waren fel tegen. Er was vrede gesloten en nou moest je niet meteen weer wraak gaan nemen, omdat ze door een raar misverstand aan het vechten waren geslagen. Uiteindelijk had groep acht er vanmorgen ook flink van langs gekregen. Met twinkelende ogen vertelde José dat ze Ankie en Sandra een paar flinke oplawaaien had verkocht. 'Maar,' zei ze erbij, 'ik heb eerst nog gezegd dat ik niet wilde vechten, maar ze wilden niet luisteren.'
Terwijl ze aan het ruziën waren over wat er verder moest gebeuren, was het bij groep acht ook niet bepaald rustig. Iedereen was zo langzamerhand een beetje bekomen van de schrik en begon elkaar verwijten te maken. Zelfs Melanie was weer helemaal de oude en deed mee. Hans kreeg het vooral te verduren: hij was als eerste naar buiten gerend om Jochem in elkaar te slaan.
Tim nam het op voor zijn vriend. 'Onzin,' zei hij. 'Jullie hoefden niet achter Hans aan te rennen en toch deden jullie het.'
'Omdat we elkaar in onze klas niet in de steek laten!' riep Ankie.
'Precies!' jubelde Walter enthousiast. 'Als Hans zichzelf doorspoelt in de w.c., dan spoelt de hele klas zich door.'
Hans grinnikte. 'Oké,' gaf hij toe, 'ik was ook ontzettend boos en ben veel te snel naar buiten gerend.'

'Ik snap het niet van je,' zei Ankie. 'Je bent anders altijd zo rustig. Jij wordt nooit zo gauw boos.'
'Het zijn de sappen,' mompelde Walter.
'Welnee,' antwoordde Hans. 'Niks sappen. Ik was het gewoon zat. Eerst die stinkbom en dan dat gezeur van Jochem bij die vredesconferentie. Die jongen kan niet normaal doen. Nou, en toen ik dacht dat ze ook nog die spandoeken hadden vernield, werd ik opeens driftig. Ik snap het ook niet. Ineens was ik woest.'
'Dus toch de sappen,' stelde Walter tevreden vast.
'In elk geval moeten we echt vrede met ze sluiten,' zei Tim. 'Maar dan ook ècht. Als we tenminste nog op schoolreis willen.'
Otto protesteerde. 'We gaan toch niet, dus wat heeft het voor zin. Je zult zien dat dat mens van Dik straks komt zeggen dat het niet doorgaat. Laten we ze dan nog maar een keer flink in elkaar rammen, dan houden ze zich voor de rest van het jaar koest.'
'Jij kunt alleen maar vechten met groep zeven,' zei Maaike boos.
'En jij alleen maar vrijen,' reageerde Otto.
Tim en Sandra begonnen alle twee tegelijk tegen Otto tekeer te gaan. Ze vonden dat hij ontzettend flauw deed en dat hij op zo'n manier alles nog veel erger maakte.
'Ik ben het met Tim eens,' zei Sandra. 'We moeten ècht vrede sluiten. Als Dik merkt dat het echt goed gaat, dan gaan we gewoon op schoolreis.'
'Hoe dan?' vroeg Michael. 'Over een maand zouden we naar Limburg gaan. We moeten dus een maand de vrede bewaren. Groep zeven is natuurlijk woedend op ons.'
'Een nieuwe vredesconferentie?' stelde Tim voor.
'O nee,' zei Hans. 'Niet nog een keer die flauwekul.'

'Jawel!' riep Walter en hij pakte Hans bij zijn schouder. 'Hans, wil jij op schoolreis, ja of nee?'
'Ja, natuurlijk.'
'Goed, dan moeten we met ze gaan praten en zeggen dat het ons spijt van vanmorgen.'
Hans wilde weer luid protesteren, maar de meeste kinderen waren het duidelijk eens met Walter. Meester Vonk had gewoon gelijk. Het was ontzettend stom geweest. Het beste was nu om zo snel mogelijk met groep zeven vrede te sluiten, voordat er weer wat gebeurde.
Tegen zijn zin, zei Hans dat hij het ermee eens was, maar toen Tim voorstelde dat Hans met een witte vlag naar ze toe moest om te zeggen dat groep acht spijt had, werd het hem te veel. 'Je bent niet goed wijs. Moet ik ook nog van die rare dingen doen. Dat verdom ik.'
Tim legde hem uit, dat het in één klap alles zou oplossen. 'Jochem wil natuurlijk een wraakactie ondernemen,' zei hij. 'Als jij met een witte vlag komt, dan zal dat vast diepe indruk op hem maken.'
'De oorlogsgek,' reageerde Hans.
Na wat heen en weer gepraat en vooral nadat bijna de hele klas had laten blijken het met Tim eens te zijn, kregen ze Hans zover om te gaan. Maaike ging met hem mee. Dat was een idee van Ankie. Op die manier zou voorkomen worden dat Jochem Hans meteen zou aanvliegen.
Toen zich uit groep acht plotseling twee kinderen losmaakten, met een witte zakdoek die aan een tak gebonden was, viel er een stilte in groep zeven. Ze waren nog steeds aan het bekvechten over de vraag of er nu wel of niet een wraakactie moest komen.
Maar nu stonden ze stomverbaasd: dit was het laatste dat ze hadden verwacht.

Om de mond van Jochem speelde een glimlach. Hij keek toe hoe Hans en Maaike langzaam dichterbij kwamen. Voor zichzelf stelde Jochem tevreden vast, dat Hans eindelijk in de gaten kreeg hoe dit soort zaken moest worden aangepakt.
Vlak voor Jochem bleven Hans en Maaike staan. 'We wilden zeggen...' begon Hans. 'We wilden zeggen...' Verder kwam hij niet. Hij vond het ontzettend moeilijk om tegenover de hele zevende groep zijn verontschuldigingen aan te bieden.
Maaike zei zacht: 'Het was ontzettend stom van ons, dat van vanmorgen.'
Heel groep zeven stond haar aan te kijken en ze werd er rood van. Jochem knikte en wreef over zijn blauwe oog. 'Dat was het ook,' zei hij droog.
'Ja maar,' zei Hans, 'we dachten echt dat jullie die spandoeken hadden gemold. We willen nu graag eeh... eeh...'
'Vrede sluiten?' vroeg Jochem.
'Zoiets.'
'Oké!' Jochem stak zijn hand uit. Hans aarzelde even en toen schudden de jongens elkaar de hand.
Jochem wees op zijn oog. 'Je slaat wel hard.'
'Jij ook,' antwoordde Hans. 'Ik heb nog een uur lang met een bloedneus gezeten.'
Er viel weer een stilte. Niemand wist meer iets te zeggen. Op dat moment ging gelukkig de bel en moesten ze naar binnen. Daar zouden ze te horen krijgen, dat het allemaal te laat was. De schoolreis ging niet door.

Meester, waarom laat je ons in de steek?

De klas protesteerde heftig. Willem Vonk deed alle moeite om uit te leggen dat de beslissing van mevrouw Dik onvermijdelijk was geweest. 'Jullie hebben het echt te bont gemaakt.'
Sandra zwaaide met haar vinger in de lucht.
'Ja?' vroeg Vonk.
'Ben jij het er dan mee eens, meester?'
Voor die vraag was meester Vonk al bang geweest. Razendsnel probeerde hij zijn gedachten te ordenen. Wat moest hij zeggen? Als hij zou toegeven dat hij eigenlijk net zo boos was als de kinderen, dan begrepen ze er helemaal niets meer van. Hij was gewend om eerlijk tegen de kinderen te zijn. Maar nu? Als hij zei dat hij het met Dik oneens was, dan zouden er wel eens rare dingen kunnen gebeuren. De kinderen zouden weten dat hij aan hun kant stond. Gouw had dan wel gezegd dat ze het de volgende maandag op de vergadering nog eens moesten proberen, maar Willem Vonk had daar weinig vertrouwen in. Dik zou wel voet bij stuk houden en de schoolreis ging gewoon niet door.
Vonk kende zijn klas goed genoeg om te weten dat ze dat niet op zich zouden laten zitten. Ze zouden die laatste maanden op school behoorlijk lastig kunnen zijn. Zeker als ze wisten dat hun meester eigenlijk hun partij koos. Dat werd een onwerkbare situatie. Hij moest, hoe dan ook, dit jaar tot een goed einde zien te brengen. Het enige dat hij op dit moment kon doen, was zeggen dat hij vond dat Dik gelijk had. Dan zouden ze zich in elk geval wel rustig hou-

den. Hoe langer hij erover nadacht, hoe belachelijker hij de beslissing van Dik vond.
Vonk vroeg zich ook af hoe de ouders hierop zouden reageren, maar toen bedacht hij dat dat wel niet zo'n vaart zou lopen. De meeste ouders hadden nogal ontzag voor mevrouw Dik en legden zich vast bij haar beslissing neer.
De hele klas zat hem nu aan te kijken. Ze wachtten op antwoord.
'Meester, wat vind je er nou van?' vroeg Sandra weer.
Vonk aarzelde. 'Moet je eens luisteren, jongens. Mevrouw Dik is heel kwaad en ik vind... ik vind het eigenlijk ook beter dat we niet op schoolreis gaan.'
De klas was met stomheid geslagen. Was dit hùn meester? Hij liet de klas gewoon barsten. Hij koos de kant van Dik. Hij was tégen groep acht.

'Maar, meester!' riep Walter. 'Daar meen je niks van!'
Vonk stapte van zijn tafel af. 'Ik wil er verder niet meer over praten,' antwoordde hij stug.
'Wij wel,' zei Melanie brutaal.
'Ik niet,' en Vonk begon tekenblaadjes uit te delen. Hij keek Melanie strak aan en die besloot om verder haar mond maar dicht te houden.
De kinderen kregen de opdracht om een stripverhaal te tekenen over de geschiedenis van de negentiende eeuw. 'Je mag zelf kiezen welk onderwerp je neemt,' legde Vonk uit, alsof er niets aan de hand was. 'De eerste trein, koning Willem I of bijvoorbeeld de kinderarbeid in de fabrieken.'
'Precies!' riep Sandra. 'Toen hadden de kinderen ook al niks te vertellen.'
'Ja, zo is het wel genoeg,' beet Vonk haar toe.
De kinderen gingen aan het werk, maar een gezellige tekenmiddag werd het niet. Iedereen zat met een nors gezicht te werken.
Om drie uur tikte de gymjuf op de deur: ze kwam de klas halen voor de gymles. De kinderen leverden hun blaadjes in en liepen zwijgend de klas uit. Ze hadden niets afgesproken, maar niemand zei Vonk gedag.
Meester Vonk liet het maar zo. Hij ging achter zijn tafel zitten en keek de tekeningen door. Ze hadden niet bepaald met enthousiasme gewerkt.
Bij het blaadje van Hans schrok hij. Hans had niet getekend, maar met keurige letters op zijn blad geschreven: 'Meester, waarom laat je ons in de steek?'
Willem Vonk kon wel janken. Moedeloos bleef hij een tijd voor zich uit zitten kijken. Toen pakte hij zijn tas in en ging naar huis. Gewoonlijk wenste hij de andere juffen en meesters altijd even een prettig weekend. Maar nu liep hij met-

een de school uit: ook Willem Vonk had geen zin om iemand gedag te zeggen.

Die vrijdagmiddag, na schooltijd, liepen Otto, Hans, Tim en Michael samen naar huis. Tim wilde nog steeds niet geloven dat hun meester het met Dik eens was.
'Natuurlijk wel,' zei Michael. 'Vonk is gewoon een groot mens. Als het erop aankomt, dan kiest hij ook de kant van de grote mensen.'
'Toch snap ik het niet,' antwoordde Tim. 'Volgens mij móet hij van Dik.'
'Onzin,' bromde Otto. 'Onze meester is oud en wijs genoeg om zelf na te denken. Hij is gewoon tégen ons, de zak!'
Hans wist het ook niet meer. Meester zei toch altijd dat je problemen uit moest praten. Hans vond vaak dat er te lang werd doorgezeurd door Vonk. Maar nu, nu het er echt op aankwam, wilde hij juist nergens over praten.
Toen ze bij Snackbar Tedje kwamen, gaf Otto een gil. 'Het bord is weg!' riep hij.
De jongens gingen met hem naar binnen en daar zat een stralende Tedje achter een flink glas bier. Hij stak enthousiast zijn duim omhoog: 'Jongens, de tent is verkocht! Vandaag zijn we voor het laatst open en maandag gaan we eruit.'
Otto haalde opgelucht adem. Hij had de onzekerheid van de afgelopen weken vreselijk gevonden. Toen hij eenmaal wist dat ze het dorp uit zouden gaan en hij in elk geval nog een paar maanden bij Hans kon blijven, had hij niets liever dan dat het allemaal zo snel mogelijk zou gebeuren. Hij vond dat bordje 'TE KOOP' maar niks en was nu net zo blij als zijn vader dat het voor elkaar was.

Tedje vertelde dat de man, die een paar weken geleden niet wilde kopen, was teruggekomen op zijn besluit. Ze waren vanmiddag nog naar de notaris en de bank geweest om alles te regelen. Er zou nu een schoenenzaak in komen. Tedje had inmiddels ook al iemand gevonden die het meubilair en de apparatuur over wilde nemen.
'Morgen gaat alles eruit,' zei hij triomfantelijk. 'Zondag maken we de boel hier beneden schoon en volgende week verhuizen we. Kan Otto vanaf volgende week bij jullie logeren, Hans?'
Hans knikte.
'Laat maar,' zei Otto. 'We gaan toch niet op schoolreis en die laatste maanden op school zullen wel waardeloos worden.'
Ze vertelden Tedje wat er aan de hand was. Die luisterde aandachtig en begreep ook niets van de houding van Vonk.
'Als ik die meester van jullie een beetje ken, dan heeft hij het er vast heel moeilijk mee.'
'Ja, dat zal wel,' mopperde Otto. 'Maar hij laat ons mooi barsten.'
'Dan moeten jullie zelf met mevrouw Dik gaan praten,' stelde Tedje voor.
'Die ziet ons aankomen!' De jongens begonnen luid hun nood te klagen over die strenge mevrouw Dik die alles verpestte.
'Jullie zijn toch zo dol op acties,' zei Tedje. 'Jullie wilden voor mij toch ook een actie houden. Hou dan nu een actie voor jezelf!'
De jongens keken elkaar aan.
'Met spandoeken enzo?' vroeg Hans.
Tedje knikte. 'Maar dan moet je groep zeven ook mee laten doen.'

'Daar lopen Jochem, Tjerk en Maaike!' riep Tim en hij wees naar buiten.
De jongens stoven naar de deur en riepen de andere kinderen binnen.
'Dik is stapelgek,' begon Jochem meteen. 'Dit is een idiote straf. Ze dreigde er altijd mee, maar nou doet ze het echt.'
'Daarom moeten we wat terugdoen!' riep Hans en even later zaten ze met z'n allen om een tafeltje van Snackbar Tedje en bedachten een plan. De kinderen wisten dat er op maandag na schooltijd in het kamertje altijd vergadering was van alle juffen en meesters.
Dan zouden ze moeten laten zien, dat ze het er niet bij lieten zitten. Dat hun klassen dan wel ruzie konden maken, maar dat ze ook samen iets konden ondernemen zonder ruzie.
Na een uurtje verlieten de kinderen Snackbar Tedje. Ze holden naar huis, pakten hun fietsen en verdwenen in alle richtingen van het dorp. Alle zevende- en achtste-groepers werden ingelicht. Zondagmiddag twee uur in Snackbar Tedje was de boodschap. 'Lakens en verf meenemen.'

Tjerk en Maaike waren samen op weg naar hun laatste adres. In Snackbar Tedje hadden de kinderen lijstjes gemaakt waarop stond wie bij wie langs zou gaan. De meesten wilden meteen meedoen. Een paar zevende-groepers aarzelden. Ze waren bang dat Dik nog bozer zou worden, maar Tjerk en Maaike overtuigden hen ervan dat dat wel mee zou vallen. Otto's vader zou toch ook meehelpen!
Toen Tjerk naar de laatste naam op het lijstje keek, kreunde hij. 'We moeten naar Melanie. Die zal wel weer meteen flauwe opmerkingen gaan maken als ze ons ziet.'
Maaike vertelde wat er die morgen in de klas was gebeurd.

'Nou snap ik best waarom ze altijd zo'n grote mond heeft,' zei Tjerk. 'Maar dan hoeft ze niet zo vervelend tegen ons te doen. Was Jochem er maar bij, die zou wel weten wat hij moest zeggen.'
Ze stapten af bij het huis van Melanie. Maaike pakte ineens de hand van Tjerk en trok hem mee.
Melanie keek stomverbaasd toen de kinderen hand in hand bij haar voor de deur stonden. Maaike vertelde rustig wat ze zondag van plan waren en Melanie was meteen enthousiast. 'Wat goed van jullie. Ik kom zeker.'
'En niks tegen je ouders zeggen,' zei Maaike.
Toen Maaike en Tjerk naar hun fietsen liepen, kwam Melanie achter hen aan. Nou zullen we het krijgen, dacht Tjerk.
Heel ernstig vroeg Melanie: 'Jullie zijn echt op elkaar, hè?'
Tjerk bloosde, maar Maaike keek Melanie recht aan en zei trots: 'Ja, natuurlijk.'
Melanie glimlachte. Niet vals of gemeen, maar gewoon heel aardig. Ze draaide zich weer om en ging naar binnen. 'Tot zondag!' riep ze voordat ze de deur dichtdeed.
Opgelucht stapte Tjerk op zijn fiets. 'Ze deed tenminste normaal,' zuchtte hij.
Samen fietsten ze naar huis.
Tjerk keek even opzij naar Maaike. Hij voelde zich ineens heel trots. Hier fietsten ze samen door het dorp en iedereen kon zien dat ze bij elkaar hoorden. Ineens kon het hem niks meer schelen of iemand dat soms gek vond. Hij was gewoon op Maaike en zij op hem en daarmee uit!

Zondagmiddag was het een drukte van jewelste in Snackbar Tedje. Op de deur hing dan wel een bordje 'GESLOTEN', maar binnen was het een hels kabaal. Al het meubilair was inmiddels verdwenen en Tedje had de schoonmaak nog

even uitgesteld. De kinderen mochten zoveel rommel maken als ze wilden en dat deden ze ook. Groep zeven en acht kropen over de grond met grote verfkwasten en schilderden spandoeken. Een paar kinderen konden echt niet komen, omdat ze van hun ouders ergens mee naar toe moesten, maar voor de rest waren de twee klassen bijna compleet. Wie hen bezig had gezien, zou zich niet kunnen voorstellen dat ze twee dagen geleden elkaar nog geschopt, gestompt en geslagen hadden.
Walter werkte samen met Carolina en José aan een groot spandoek waarop de provincie Limburg stond afgebeeld. 'Hier willen we heen', kwam er met grote letters onder te staan.
In het voorbijgaan hoorde Hans dat Walter net een verhaal zat op te hangen over 'de kwade sappen van Dik'.
'Let maar niet op die jongen,' zei Hans. 'Hij heeft het altijd over sappen.'
Walter zwaaide met zijn wijsvinger in de lucht en zei plechtig: 'Alles zou opgelost zijn als wij Dik met een goedaardig sap zouden kunnen inspuiten.'
'Hoe dan?' giechelde Carolina.
'Nou, kijk,' zei Walter. 'In de dierentuin hebben ze een soort pistool met een injectienaald eraan. Als ze een leeuw moeten vangen, dan schieten ze met dat ding op die leeuw en dan valt hij in slaap.'
Hans begon te lachen. 'En je wou Dik ook beschieten met zo'n ding?' vroeg hij.
'Precies. Ik stel mij verdekt op achter de diakast in de gang en als ze dan langskomt, schiet ik die naald in d'r bil.'
José en Carolina lagen slap.
Tim die het laatste stuk van Walters verhaal had gehoord, deed het even voor. 'Ik ben mevrouw Dik. Ik loop door de

gang, Walter schiet en aaaaaaaaaaaaaaah!' Tim sprong een meter de lucht in.
Samen met Maaike, Sandra en Tjerk, werkte Jochem aan een groot vredesspandoek. 'Geen oorlog meer tussen zeven en acht', stond erop. Jochem schilderde vooral de tankjes en de vliegtuigjes, maar dan wel met een groot kruis erdoorheen.
Tedje liep rond en deelde flesjes uit. Toen de vorige dag de boel werd leeggehaald had hij nog wat limonade achtergehouden om de kinderen te kunnen trakteren. Hier en daar maakte hij bezwaar tegen sommige kreten op de spandoeken. Bram, Michael, Frankie en Melanie hadden met grote letters 'Dik Stik' geschilderd. Tedje raadde hun aan dat te veranderen. 'Je maakt het zo alleen maar erger,' zei hij. 'Je moet wel protesteren, maar niet schelden. Dat helpt niks. Probeer wat leukers te verzinnen.'
Dat deden de kinderen en een half uur later toonden ze Tedje trots hun werk. 'Het is weer Dik voor mekaar', stond er nu op.
Tegen vijf uur ging iedereen naar huis. Tedje zou de spandoeken bewaren tot de volgende dag, als 's middags de grote actie zou plaatsvinden. Toen de laatste verdwenen was en Tedje de deur afsloot, zei Otto tegen zijn vader: 'Die groep zeven is eigenlijk best aardig. Het kan echt leuk worden in Limburg.'
Tedje knikte en hoopte dat mevrouw Dik dat ook zou vinden.

Ruzie in het kamertje

’s Maandags hielden de kinderen zich op school opvallend rustig. Het stelde Willem Vonk gerust: misschien was het toch goed geweest om net te doen alsof hij het met mevrouw Dik eens was. Het hele weekend had hij ermee gezeten. Hij had nog een uur met meester Gouw aan de telefoon gehangen en er natuurlijk met zijn eigen vrouw over gepraat. Die was net zo verontwaardigd als de kinderen.
‘Clara Dik moet niet zo overdrijven,’ zei ze. ‘Geef die kinderen een portie strafwerk en zeur er dan verder niet over. De kinderen zullen er zelf ook wel van geschrokken zijn. Dat gebeurt vast geen tweede keer meer.’
‘Die vechtpartij zat al een hele tijd in de lucht,’ antwoordde Vonk.
‘Nou, precies! En nu is de lucht opgeklaard. Een flinke ruzie op zijn tijd is toch heel gezond. Daarna gaat alles vaak nog veel beter.’
Willem Vonk glimlachte. Zijn vrouw en hij hadden af en toe ook wel eens een knallende ruzie. Als ze alle twee eens flink hun hart hadden gelucht en het daarna uitpraatten, dan hielden ze alleen nog maar meer van elkaar.
‘Ik zou maandag op de vergadering nog maar eens duidelijk zeggen wat je ervan denkt,’ zei zijn vrouw.
Willem Vonk voelde zich weer een beetje opgelucht. Hij kon vaak nogal zwaar tillen aan de dingen, maar zijn vrouw had er meestal een nuchtere kijk op en sprak hem moed in.
De stemming in de klas was in elk geval gezellig. De kinderen deden normaal tegen hem. Er werd zelfs weer gela-

chen, toen Vonk op het bord schreef 'De aardige jongen gaf het lieve meisje een dikke zoen op haar wang', en vroeg of ze die zin wilden ontleden.
'De sappen!' riep Walter meteen.
Op de speelplaats zag hij later dat zijn klas en die van Dik druk met elkaar stonden te kletsen. Voor alle zekerheid liep hij erheen en vroeg vriendelijk: 'Toch geen ruzie, hoop ik?'
De kinderen deden of ze stomverbaasd waren. 'Hoezo, ruzie?' antwoordde Tim, alsof er vorige week niets was gebeurd.
'Nou, je weet maar nooit.'
'Waarom zouden we ruzie maken?' vroeg Jochem.
Vonk snapte er niets van en toen Walter als een engeltje over de speelplaats begon te fladderen en zong: 'Ik ben een kerstengel en ik breng vrede op aarde aan alle mensen van goede wil,' liep de meester maar door.
In de gang kwam hij meester Gouw tegen. 'Het gaat weer prima,' zei hij opgelucht.
'Zie je wel,' antwoordde Gouw. 'Wij doen daar altijd veel te dramatisch over. Kinderen lossen zoiets vaak zelf uitstekend op.'
Ze besloten samen die middag een stevige discussie met mevrouw Dik aan te gaan.
Dat bleek ook wel nodig te zijn, want mevrouw Dik was nog steeds niet van mening veranderd. 'Ik vind dat we nu voet bij stuk moeten houden,' zei ze. 'We hebben duidelijk gezegd dat het niet doorgaat en dan kunnen we dat niet ineens weer gaan veranderen.'
'Waarom niet?' vroeg Vonk. 'De kinderen hebben vandaag toch laten zien dat het weer goed gaat? Als we nu zeggen dat de schoolreis toch doorgaat, zullen ze het zeker zo houden en het niet weer verpesten.'

'Ik heb daar weinig vertrouwen in,' antwoordde mevrouw Dik. 'Ik stel nu voor om die hele kwestie te laten rusten. We hebben er afgelopen vrijdag uitgebreid over gesproken. Voor vandaag staan er nog een heleboel andere punten op de agenda. Ik wilde beginnen met de organisatie van de sportdag.'

Nu werd meester Gouw boos. 'Ik ben het hier niet mee eens. Willem zit er ontzettend mee. Hij heeft zijn klas gezegd dat hij het met je eens is, Clara, maar daar meent hij niets van. De kinderen voelen zich duidelijk in de steek gelaten door hem. We moeten dit echt eerst bespreken.'

Er ontstond een discussie over de vraag of de schoolreis nu wèl of níet besproken moest worden. Willem Vonk werd er bijna wanhopig van. Het ging niet eens meer over de schoolreis zèlf, maar of ze er nog over zouden praten.

De juf van groep vier was het natuurlijk weer helemaal eens met mevrouw Dik. 'We moeten het nu verder maar laten rusten en het over de sportdag hebben.'

Gelukkig dachten de anderen er niet zo over en toen er na veel heen en weer gepraat eindelijk over gestemd werd, waren alleen mevrouw Dik en de juf van groep vier tegen. De rest wilde er wel over praten.

Dat is in elk geval iets, dacht Willem Vonk, maar hij had nog weinig hoop dat het allemaal goed zou komen. Er volgde een eindeloze discussie die langzamerhand uitliep op een flinke ruzie. Meester Vonk en mevrouw Dik zaten op een goed moment met verhitte hoofden elkaar allerlei verwijten toe te schreeuwen.

'Ik verdom het om mij hierbij neer te leggen!' riep Vonk. 'Het is niet eerlijk om de kinderen zo zwaar te straffen.' En toen, helemaal buiten zichzelf van woede: 'Nou ja, er is één voordeel als we niet gaan. Dan hoef ik tenminste

ook niet met jou op schoolreis.'
'Wil je dit soort misselijke opmerkingen voor je houden!' krijste Dik. 'Ik heb hier uiteindelijk de verantwoording. Als ik zeg dat het niet gebeurt, dan gebeurt dat...'
Verder kwam ze niet. Haar mond viel open van verbazing en met grote ogen staarde ze naar buiten. Wat mevrouw Dik daar zag, was ongelooflijk. Een grote groep kinderen kwam langzaam het schoolplein oplopen. Ze voerden een heleboel spandoeken mee en kwamen in de richting van het kamertje. Alle juffen en meesters stonden op en liepen naar het raam.
'Groep acht wéér,' zei mevrouw Dik ontzet.
'Nee, hoor,' antwoordde meester Gouw droog. 'Die van jou zijn er ook bij.'
Mevrouw Dik keek en keek nog eens. Toen zag ze inderdaad Jochem, Tjerk, Bram, José, Carolina en al die andere kinderen uit haar klas samen met groep acht voor het kamertje halt houden. En het meest indrukwekkende was, dat de kinderen niets zeiden. Geen geschreeuw of gezang, maar doodse stilte.
Dat was een idee van Tedje geweest. 'Niet roepen en schreeuwen,' had hij gezegd. 'Jullie spandoeken en het feit dat jullie daar met z'n allen staan, zeggen genoeg. Dat maakt vast indruk op mevrouw Dik.'
Dat deed het ook. Mevrouw Dik kon geen woord meer uitbrengen.
Meester Gouw barstte in lachen uit. 'Dit is de stunt van het jaar!' riep hij en met veel pret begon hij alle kreten op de spandoeken voor te lezen.
'Hier willen we heen.'
'Leve Limburg.'
'Geen ruziegeluiden, maar naar het zuiden.'

'Geen oorlog meer tussen zeven en acht.'
'Wij willen wèl.'
'Het is weer Dik voor mekaar.'
Vooral om de laatste kreet moest meester Gouw weer bulderen van het lachen.
De kinderen op de speelplaats zagen het en stootten elkaar aan. 'Het gaat goed,' fluisterden ze. 'Het gaat goed.'
Willem Vonk was eerst net zo verbaasd geweest als mevrouw Dik, maar het gelach van Gouw werkte aanstekelijk op hem. Hij stond nu met een stralend gezicht voor het raam en stak zijn duim op. Het leek wel of de kinderen op dit teken hadden gewacht, want een luid gejuich barstte los. 'Vonkie! Vonkie! Vonkie!' schalde het over de speelplaats.

De zevende-groepers riepen nog niets, maar vonden dat ze dit niet op zich konden laten zitten. Het klonk eerst nog wat aarzelend, maar even later begonnen zij ook. 'Dikkie! Dikkie! Dikkie!'
Toen werd er op de deur van het kamertje geklopt. Tedje stapte binnen. 'Goedemiddag, dames en heren. Ik wou even zeggen dat dit idee helemaal van de kinderen was. Ze hebben het sámen voorgesteld. Meester Vonk heeft er niks mee te maken.'
Dankbaar keek Willem Vonk hem aan. Het was nog niet eens in zijn hoofd opgekomen, maar het zou hem niets verbazen als mevrouw Dik zou denken dat hij hier achter zat.
'Och, mevrouwtje,' ging Tedje verder, 'u had dat eens moeten zien, hoe ze bezig waren. Je zou niet zeggen dat het twee klassen waren. Ze gingen met elkaar om alsof ze nog nooit ruzie hadden gehad.'
'Ja,' antwoordde mevrouw Dik toonloos. Ze was nog steeds niet bekomen van haar verbazing.
'Weet u wat u moet doen, mevrouwtje? Gewoon gezellig met dat stel op schoolreis gaan. U had die kinderen eens moeten zien, toen ze vrijdagmiddag uit school kwamen. Allemaal hopies ellende. Haal uw hand nou over uw hart, dan bent u een schat.' Tedje liep weer het kamertje uit en vlak voor hij de deur sloot zei hij nog: 'U bent toch ook jong geweest?'
De woorden van Tedje misten hun uitwerking niet. Ze maakten veel meer indruk op mevrouw Dik dan de eindeloze discussies tussen haar en Willem Vonk.
Het laatste beetje weerstand verdween bij haar. Toen ze de kinderen het plein op zag komen, voelde ze al dat het moeilijk zou worden haar beslissing vol te houden. De woorden van Tedje, die zonder veel omhaal precies zei

waar het nou eigenlijk om ging, gaven mevrouw Dik nog het laatste duwtje in de goede richting.
Ze keek Vonk aan. 'Willem, ik geloof dat je gelijk had. Het is een te zware straf. We gaan wèl.'
Vonk wilde meteen naar het raam hollen om het de kinderen te zeggen.
Meester Gouw hield hem tegen. 'Je moet het Clara zelf laten zeggen.'
Clara Dik liep naar het raam. De kinderen stonden nog steeds te roepen, maar toen ze zagen dat mevrouw Dik het raam openmaakte, werd het op slag stil. Iedereen drong naar voren om maar niets te missen van wat ze ging zeggen. Ze aarzelde en vond het moeilijk de goede woorden te vinden. Ineens wist ze het: 'Jongens, het is dik voor mekaar!'
Het leek wel plotseling carnaval op de speelplaats. De kinderen dansten en sprongen door elkaar heen. Hans sloeg Jochem uitgelaten op zijn schouder en gilde: 'Het is gelukt! Het is gelukt!'
José en Ankie zwierden over de speelplaats heen alsof ze in een balzaal waren en Maaike gaf Tjerk spontaan een zoen. Melanie en Carolina omhelsden elkaar en toen Otto langs kwam springen, kreeg die ook zo maar een zoen van Melanie. Otto was helemaal verbouwereerd. 'Die is ook voor je vader,' zei Melanie. Walter zweefde weer als vredesengel over het plein en zong: 'Leve de sappen van Dik.'
Met moeite kon mevrouw Dik de kinderen weer bij elkaar krijgen. Ze wilde nog iets zeggen. Iets waarover zelfs meester Vonk verbaasd zou zijn. 'Jongens en meisjes,' zei ze, toen het eindelijk stil was. 'Ik wil nog iets tegen groep acht zeggen. Jullie meester heeft ontzettend z'n best gedaan om mij over te halen de schoolreis toch door te laten gaan. Hij was het helemaal niet met me eens, al heeft hij dan in de

klas gezegd dat hij dat wèl was. Jullie hebben nu aan ons laten zien, dat het ook zonder ruzie kon. En ik moet eerlijk zeggen...' hier wachtte mevrouw Dik even, '...dat het jullie meester niet lukte om mij over te halen, maar jullie wel! Maar denk erom: van nu af aan geen ruzie meer!'
Weer klonk er luid gejuich. Zingend en hossend verlieten de kinderen het plein.
Willem Vonk keek Clara Dik aan. Ineens zag hij haar met andere ogen. Ze was wat ouderwets en soms moeilijk tot andere gedachten te brengen, maar ze was wel heel eerlijk. Ze had heel goed begrepen hoe moeilijk hij het ermee had gehad en de kinderen duidelijk gemaakt dat hij hen niet in de steek had gelaten.
'Bedankt, Clara,' zei hij zacht. 'Ik vond het fantastisch wat je over mij zei tegen de kinderen.'
Clara Dik glimlachte en vroeg: 'Wil je nou nog wel met me op schoolreis, Willem?'
'Wat dacht je!' reageerde Willem Vonk spontaan. 'Dat komt dik voor mekaar.'
En eindelijk werd er die middag in het kamertje door iedereen weer eens flink gelachen.

De Reinekeshof

Eindelijk was het zover! Op het station stonden twee zenuwachtige klassen om op weg te gaan naar Zuid-Limburg. Willem Vonk en Clara Dik liepen bedrijvig rond om te kijken of iedereen er wel was. Ouders gaven hun kinderen allerlei wijze raadgevingen mee, die de meeste kinderen nauwelijks hoorden.
Ankie wilde wel door de grond zakken toen haar moeder begon te zeuren. 'Lieverd, zul je tweemaal daags je tanden poetsen en op tijd een verschoninkje aandoen?'
'Ja, mam, natuurlijk,' en ondertussen keek Ankie het perron langs in de hoop dat de trein snel zou komen.
Hans hoorde het en dacht terug aan die keer toen ze in de klas grappen hadden zitten maken over luiers en plastic broekjes. Dat was dezelfde middag geweest dat ze Jochem en Tjerk in het schriftenhok hadden opgesloten. Hij stootte Sandra aan. 'Hé, San, heb jij je luiers wel bij je?'
Sandra keek hem niet-begrijpend aan: ze was het kennelijk al lang vergeten.
'Laat maar zitten,' zei Hans. Hij liep naar Otto, die nu al weer een paar weken bij hem logeerde, en vertelde aan Otto's vader met smaak de luier- en plasticbroekjesgrap. Tedje was speciaal uit Noordveen overgekomen om Otto uit te wuiven. Hij had het erg naar zijn zin in de timmerfabriek van zijn broer.
Michael stond al de hele tijd met zijn koffertje in de hand.
'Waarom zet je die koffer niet even neer?' vroeg Jochem. 'Het duurt zeker nog vijf minuten voordat die trein komt.'

Michael schudde zijn hoofd. 'Als hij straks komt, dan wordt het vast haasten en ik ben bang dat ik mijn koffer vergeet.'
Carolina was met een stel anderen van groep zeven aan het bekvechten over de slaapplaatsen. Mevrouw Dik had verteld dat er stapelbedden waren en Carolina wilde per se boven liggen.
'Belachelijk,' mopperde José, 'om je nu al druk te maken over je bed.'
'Ik kan niet onder liggen,' antwoordde Carolina. 'Dan krijg ik het benauwd en dan ga ik eng dromen.'
'Ik wil juist beneden liggen,' zei Bram. 'Als ik boven lig, val ik er vast uit.'
Plotseling riep meester Vonk: 'Walter! Hebben jullie Walter gezien?'
Er brak nu een lichte paniek uit: Walter was er nog niet.
'Daar!' gilde Melanie en ze zagen op de weg die aan de overkant langs het spoor liep Walter aankomen op zijn veel te kleine fiets. Zijn vader reed achter hem aan.
'Opschieten!' brulden de kinderen. 'De trein komt zo!'
Nog net op tijd konden Walter en zijn vader een stuk voorbij het station de overweg passeren, daarna werden de spoorbomen onder luid gerinkel neergelaten. In de verte naderde de trein. Op het moment dat hij het station binnenreed, kwamen Walter en zijn vader hijgend het perron op rennen.
Daarna ging alles heel snel. Mevrouw Dik stapte als eerste in de trein, gevolgd door de kinderen. De rij werd gesloten door meester Vonk en mevrouw De Haan, de moeder van Tim. Mevrouw Dik en de meester hadden haar gevraagd mee te gaan als extra hulp. De kinderen kenden haar goed, omdat zij al jaren de schoolbibliotheek beheerde. Ze noemden haar meestal bij de voornaam: Nanny.

Voordat de kinderen goed en wel in de trein zaten, begon die alweer te rijden en onder een luid 'Dag, dag!' en 'Veel plezier!' vertrokken groep zeven en acht op schoolreis.
In de trein was het eerst een drukte van jewelste. Koffers, rugzakken en tassen werden in het bagagenet gehesen en iedereen moest nog een goed plekje vinden.
Walter begon omstandig uit te leggen waarom hij zo laat was. 'Ik heb 's morgens altijd erg veel moeite om eruit te komen. Mijn spieren zijn dan nog geheel ontspannen en moeten langzaam op gang komen en verder zijn mijn sappen nog niet helemaal op dreef.'
Nanny luisterde geïnteresseerd naar Walters verhaal en vroeg: 'Wat voor sappen?'
Walter veerde op: eindelijk weer eens iemand die wat wilde weten over de sappen. Sandra en Ankie begonnen meteen te giechelen. Ankie riep: 'Let maar niet op zijn sappen, Nanny, daar heeft hij al het hele jaar last van.'
Ondertussen liep meester Vonk tevreden door de trein. Het deed hem goed te zien dat de klassen door elkaar zaten. Hans en Tim zaten bij Jochem en Tjerk en de vier jongens vertelden elkaar moppen. José zat bij een stel achtstegroepers. Eén van hen had een stapel stripboeken meegenomen en algauw zaten bijna alle kinderen te lezen. Frankie, Melanie en Bram deden een kaartspelletje. Dat ging uitstekend tot Melanie halverwege de reis ontdekte dat Frankie valsspeelde en hem een dreun verkocht. Frankie piepte eerst vreselijk, maar toen mevrouw Dik erbij kwam hield hij op en beloofde verder eerlijk te spelen.
Willem Vonk zat inmiddels in een rustig hoekje bij Carolina en Maaike, die in een roddelblaadje zaten te lezen, dat ze in de trein hadden gevonden. De meester staarde naar buiten en liet het weidse rivierenlandschap aan zich voorbijtrekken.

Hij dacht terug aan de afgelopen weken. De ruzies en de vechtpartijen. Tot die middag in het kamertje, toen de kinderen ineens op het plein stonden met hun spandoeken. Daarna was alles veel beter gegaan. De kinderen hadden ervoor gewaakt dat er niet weer heibel zou komen. En als het een keer toch misging, dan waren er meteen andere kinderen als de kippen bij om de zaak te sussen. Het was al meer dan een maand geleden sinds 'het offensief in de gang', zoals hij het Jochem een keer hoorde noemen, had

plaatsgevonden. Hij kon het zich al bijna niet meer voorstellen, nu hij de kinderen zo vredig bij elkaar zag zitten.
De afgelopen tijd was voor zijn klas nog best spannend geweest. Ze hadden de uitslag van de schooltoets gekregen. Voor de meeste kinderen stond eigenlijk wel vast naar welke school ze zouden gaan. De toets was meer een soort bevestiging van wat ze al lang wisten. Een paar kinderen waren teleurgesteld geweest. Zoals Walter, die van zijn rekenen weinig terecht had gebracht. Hij wilde naar de Mavo en vreesde dat het nu niet door zou gaan. Willem Vonk was naar de Mavo geweest en had een goed woordje voor hem gedaan. Voor Ankie was hij gaan praten op het gymnasium. Zij wilde graag met Sandra mee, maar had door haar slordige manier van werken nogal wat onnodige fouten gemaakt. Meester vond dat zij toch een kans moest hebben en Ankie was uiteindelijk toegelaten.
Otto ging naar de technische school in Noordveen. Hij zag er aanvankelijk erg tegen op, maar toen hij een weekendje bij zijn ouders logeerde, was Tedje met hem gaan kijken. Die maandag daarna vertelde Otto met enthousiasme over zijn nieuwe school. Dat was nog aanleiding geweest voor een flinke preek van meester Vonk. Melanie had het niet kunnen laten om op te merken dat Otto 'maar' naar de technische school ging. Vonk was ontzettend uitgevallen tegen haar. 'Het maakt helemaal niet uit naar welke school je gaat,' zei hij boos. 'Het belangrijkste is dat je je thuis voelt op een school. De één is goed in rekenen, de ander in handenarbeid of gymnastiek. Het gaat erom dat je op een school komt waar de dingen die je goed kunt veel aandacht krijgen. Misschien heb jij later wel een auto en ben je blij dat Otto geleerd heeft hoe je hem moet maken.'
Otto fleurde weer helemaal op toen hij dat hoorde en zei

tegen Melanie: 'Als jij later bij me komt met je auto, dan sloop ik de motor eruit.'
'Ja!' riep Walter enthousiast. 'En dan zet je er een vliegtuigmotor in, zodat de auto van Melanie om de drie meter een luchtsprongetje maakt.'
Meester Vonk werd opgeschrikt uit zijn gepeins door Maaike die vroeg: 'Meester, hoe lang duurt het nog?'
'Een half uurtje en dan nog tien minuten met de bus.'
Toen de trein het station binnenreed, verdrongen de kinderen zich in het gangpad en moest Vonk een paar keer zijn stem verheffen om te voorkomen dat er bij het uitstappen ongelukken zouden gebeuren.
Ze liepen naar de bus, die al stond te wachten en even later reden ze de stad uit. De kinderen keken naar het golvende landschap om hen heen, zagen de bossen op de heuvels, de brede rivier de Maas die zich door het dal slingerde en de witte Limburgse boerderijen. Ze waren dol enthousiast. Vooral toen ze het dorpje Groesselt binnenreden en vlak bij een oude boerderij stopten.
'Dit is De Reinekeshof!' riep mevrouw Dik.
Voor de ingang stond een man met een grote, bruine baard die met uitgestoken hand op mevrouw Dik toestapte.
'Welkom op De Reinekeshof,' zei hij met een zangerig accent. 'Heeft u een goede reis gehad?'
Het viel de kinderen vooral op hoe hij de 'g' uitsprak: op een zachte, vriendelijke manier. Vooral toen hij zich voorstelde aan de kinderen. 'Hallo, allemaal. Ik ben Giel, de baas van De Reinekeshof.'
Jochem deed een stap naar voren, stak ook zijn hand uit en zei met een zachte 'g': 'Dag, meneer, ik ben Jochem.'
Mevrouw Dik keek zenuwachtig naar Giel. Tjerk, die naast Jochem stond, deed een stap achteruit. Hij schaamde

zich dood, omdat Jochem weer zo raar deed en zat te spotten met het accent van Giel.
Maar Giel vond het niet erg. Integendeel. Hij begon te lachen en gaf Jochem een stevige hand. 'Goed oefenen,' zei hij. 'Dan krijg je net zo'n mooie zachte 'g' als ik.' Daarna nam hij de kinderen mee naar binnen.
De Reinekeshof was rondom een binnenplaats gebouwd. Ze kwamen eerst in een gezellige ruimte, waar om een brede, open haard houten banken stonden met grote kussens erop. De muren waren van baksteen en hier en daar zagen ze in de muur gele blokken zitten.
'Dat is mergel,' zei Giel. 'Dat vinden we hier in de grond. Ik zal het jullie wel laten zien in het bos.'
Daarna liepen ze door de eetzaal met lange, houten tafels waarop al brood, vleeswaar en allerlei zoetigheid klaarstonden.
Tim stootte Hans aan. 'Moet je kijken, joh. Hartstikke veel zoet. Jam, hagelslag, honing en stroop.'
Giel hoorde het en zei: 'Wat dacht je. In het land van de zachte 'g' zijn we gek op zoetigheid.'
'Dan kom ik hier wonen!' riep Melanie.
Aan het einde van de eetzaal waren twee trappen. Een naar de meisjesslaapzaal en een naar die van de jongens. De zalen waren verbouwde hooizolders. Je zag nog de oude steunbalken die het dak droegen. De stapelbedden stonden aan twee kanten van de zaal met daartussen een gangpad.
Op de meisjesslaapzaal veroverde Carolina meteen een bovenbed en begon uitgelaten op haar bed op en neer te springen.
'Rustig aan!' riep mevrouw Dik. 'Giel is ontzettend aardig, maar als je expres wat vernielt kan hij erg boos worden!'

'En ik ook,' zei José, die het onderste had. 'Ik kan niet tegen dat gehos boven mijn hoofd.'
Carolina stak haar hoofd over de rand van het bed en keek in het gezicht van José. Die stond haar koffer uit te pakken en haalde net een oude, kale aap te voorschijn. 'Wat is dat?' vroeg Carolina.
'Dat is Mickey. Zonder hem kan ik niet slapen.'
Carolina was eerst stomverbaasd. Die grote José had een knuffeldier bij zich! Toen riep ze: 'Hé, moet je kijken wat kinderachtig. José heeft een aap.'
Een paar meisjes uit groep zeven begonnen te lachen, maar Sandra, die vlak naast José lag, nam het voor haar buurvrouw op. Zij maakte haar koffer open en pakte een grote, rafelige beer eruit. 'Dit is Dreumes. Heeft iemand er bezwaar tegen dat hij bij me slaapt?'
Algauw bleek dat de meisjes uit groep acht hadden afgesproken knuffelbeesten mee te nemen. Sommigen omdat ze er echt nog mee sliepen en anderen zomaar voor de lol.
Carolina keek eerst wat beteuterd rond en bekende toen blozend: 'Ik had eigenlijk ook best m'n hondje mee willen nemen, maar ik dacht dat jullie me zouden uitlachen.'
'Hier,' zei Maaike, 'mag je m'n olifantje hebben.'
'Of wil je liever mijn pinguïn?' riep Melanie van de andere kant van de zaal.
Even later waren de zevende-groepers die graag een knuffelbeest wilden, voorzien van oude beren, konijntjes met één oor of lappenpoppen.
Op de jongensslaapzaal moest meester Vonk tussenbeide komen, toen Hans en Otto bijna ruzie kregen over de vraag wie er bij het raam mocht liggen. Van daaruit kon je namelijk de meisjesslaapzaal zien en Hans en Otto hadden alletwee niet voor niets hun zaklamp meegenomen om

daarmee te kunnen seinen. Vonk deed net alsof hij niet in de gaten had waarover de ruzie eigenlijk ging en hij had grote binnenpret toen Hans zei dat hij erg gesteld was op frisse lucht.
'Ik weet het goed gemaakt,' zei Vonk. 'Jullie slapen hier vier nachten. Eerst ligt Hans er twee bij het raam en daarna Otto.'
Jochem en Tjerk lagen in het bed naast dat van Hans en Otto en daarnaast hadden Tim en Michael zich geïnstalleerd.
'Leuk,' zei Jochem tegen Tim. 'Kunnen we nog over de Tweede Wereldoorlog praten.'
Hans hoorde het en zuchtte: 'Ja, leuk.'
Tim grinnikte en zei tegen Hans: 'Als je nou 's nachts geknetter hoort uit het bed van Jochem, dan is dat niet wat je denkt. We spelen dan oorlogje.'
Iedereen was tevreden over zijn slaapplaats, behalve Frankie, die een beetje in een uithoek van de zaal terecht was gekomen. Niemand stond kennelijk te springen om met hem een stapelbed te delen. Frankie zat treurig op de rand van zijn bed. Meester Vonk ging naast hem zitten en vroeg wat er scheelde. 'Ik lig hier helemaal alleen,' zei Frankie.
Vonk knikte. Hij begreep best dat niemand zin had om bij Frankie te liggen. Die was in de groep altijd een nogal eenzame figuur geweest en om zich nog een beetje te kunnen waarmaken deed hij vaak pesterig. Vonk liep naar Walter die in een benedenbed lag. Het bed boven hem was nog vrij. 'Mag Frankie hier liggen?' vroeg meester.
Walter begreep wat er aan de hand was en vond het goed. Maar zijn ogen flonkerden, toen Frankie op het bovenbed klom. 'Ga eens plat op je bed liggen en houd je goed vast!' riep Walter. Frankie deed dat en Walter zette zijn voeten

tegen de onderkant van het matras en gaf een flinke trap. Frankie vloog bijna een meter de lucht in en gilde.
'Wat doe je nou?' riep meester Vonk.
'Nou,' antwoordde Walter, 'ik vind het best dat Frankie daar ligt, maar als hij gaat klieren, dan laat ik hem vliegen. Hij weet nou hoe dat voelt.'
Vonk glimlachte. 'Je hebt het gehoord, Frank. Doe je best en blijf goeie maatjes met je benedenbuurman.'
Frank knikte en nam zich voor om geen ruzie te maken met Walter.
Nanny kwam de slaapzaal op om te zeggen dat ze aan tafel gingen. In de eetzaal stond Giel al thee en melk uit te schenken en toen iedereen aan tafel zat, zei hij: 'Jongens, eet smakelijk en denk erom: hagelslag doe je op je boterham en niet in je thee. Ik bedoel dus: geen geklooi met het eten.'
Vanaf dat moment werd dat een vaste uitdrukking van de kinderen als ze aan tafel gingen. Zodra ze zaten, klonk het in koor: 'Geen geklooi met het eten,' waarbij ze allemaal probeerden om de 'g' van 'geklooi' zo Limburgs mogelijk te laten klinken.
Tot groot plezier van Giel, die al lang blij was dat er normaal gegeten werd door de kinderen.
Na het eten hielpen een paar kinderen mee met de afwas en speelde de rest op de grote binnenplaats of op het voetbalveldje vlak naast de boerderij. Een half uurtje later verzamelden ze zich weer om onder leiding van Giel naar het bos te gaan.
Eerst liepen ze over een landweggetje. Het leek wel of het was uitgegraven tussen de boomgaarden, en hoe dichter ze bij het bos kwamen, hoe dieper het lag. Giel vertelde dat dit nou een 'holle weg' was. De natuur zelf had het zo ge-

maakt. Vanaf de heuvels stroomt het regenwater naar beneden en slijt zo de weg uit.
Ze moesten langzamerhand behoorlijk klimmen en toen meester Vonk, die samen met een paar kinderen voorop liep, de bosrand bereikte en achterom keek, zag hij een lange, kleurige stoet de heuvel op klauteren. Ergens halverwege liep Clara Dik. Aan haar armen hingen een paar kinderen.
Toen ze dichterbij kwam, zag meester Vonk dat Melanie een van die kinderen was. Ze liep druk te kwekken met mevrouw Dik. Tevreden stelde Willem Vonk vast dat hier, in het Limburgse land, ineens alle tegenstellingen wegvielen. Melanie, die vorig jaar constant met mevrouw Dik overhoop had gelegen en zelfs in groep acht het niet kon laten om af en toe moeilijkheden met haar te zoeken, liep nu naast haar alsof ze de grootste vriendinnen waren.
Tjerk en Jochem waren natuurlijk onafscheidelijk, maar als Tjerk even met Maaike wilde lopen, dan zocht Jochem Tim op en kon bij hem alle verhalen kwijt over de oorlog.
Giel voerde hen mee naar schitterende plekjes en wees hen op de typische Zuidlimburgse bloemen die er vooral in het voorjaar bloeiden. Gele dovenetel, daslook en salomonszegel.
Zelfs de kinderen die helemaal niet geïnteresseerd waren in bloemen en planten, luisterden aandachtig als Giel er wat over vertelde.
Midden in het bos, op een open plek te midden van steile, beboste hellingen met sluippaadjes hielden ze halt. Ze gingen verstoppertje spelen en zelfs mevrouw Dik beklom de smalle paadjes om iedereen te zoeken, toen zij aan de beurt was.
Aan het einde van de middag nam Giel hen nog mee naar

een echte mergelgrot. Hij vertelde dat de mensen al eeuwenlang mergel uit de heuvels haalden om er huizen van te bouwen. De kinderen raapten de brokken mergel op die voor in de grot lagen en voelden hoe zacht het spul eigenlijk was.
'Als het eenmaal in de buitenlucht komt, dan wordt het langzaam hard,' zei Giel. 'Het is eigenlijk een mengsel van kalk en zand. Miljoenen jaren geleden was hier een grote zee. Al die kalk van schelpen en andere schaaldieren is op de bodem blijven liggen, toen de zee droogviel. Later is daar zand bij gekomen. Vandaar dat het niet wit is, maar lichtgeel.'
Giel ging ook nog een stukje met hen de grot in, die niet erg diep was, maar donker genoeg om bang van te worden. Maaike hield Tjerk stevig vast en Melanie, die net naast Frankie liep, gaf hem voor alle zekerheid een hand. Jochem bleef in de buurt van Giel, die met een grote zaklamp voorop liep. Ergens halverwege krasten ze allemaal hun naam in de mergel.
Ineens gaf Ankie een gil. Een vleermuis vloog vlak over haar heen. Iedereen begon nu te gillen en het duurde even voordat het weer stil was en Giel kon uitleggen dat vleermuizen in de grotten overwinterden. Carolina begon nu echt bang te worden en wilde naar buiten. Mevrouw Dik stelde voor om dat dan maar te doen. Hans fluisterde tegen Otto: 'Volgens mij is ze zelf ook hartstikke bang.'
Bij de ingang van de grot riep Giel: 'En nu òp naar De Reinekeshof. We hebben honger!'
Zingend en lachend trokken de kinderen weer door het bos en op de boerderij had de kok voor een heerlijk maal gezorgd. Sommige kinderen zeurden dat ze dit of dat niet lustten, maar de meeste hadden na de wandeling een flinke eetlust en schepten hun bord vol.

Na het eten speelden ze nog wat buiten. Toen het donker begon te worden, gingen ze met z'n allen om de open haard zitten, en meester Vonk las een spannend verhaal voor. Na een half uurtje luisteren en wegdromen bij het vuur zei mevrouw Dik dat het bedtijd was. 'We gaan rustig naar boven, kleden ons uit en gaan lekker slapen.'
Alle kinderen knikten instemmend, maar in hun hart wisten ze dat er van dat lekkere slapen voorlopig niets zou komen. Het was hun eerste avond op De Reinekeshof. Dan ga je toch niet zo maar slapen?

De eerste nacht

Het duurde nog een hele tijd voordat iedereen in bed lag. Eerst moesten er nog tanden worden gepoetst, stonden ze in de rij voor de w.c. of werden er bedden afgehaald en opnieuw opgemaakt. Mevrouw Dik en Nanny probeerden de meisjes een beetje aan te sporen om op schieten en bij de jongens zat Vonk iedereen achter zijn vodden.
Eindelijk lagen de meisjes in bed, toen José ineens tegen mevrouw Dik gilde: 'Juf, ik ben m'n aap kwijt!'
Dit leek het sein voor een algehele zoekactie. Iedereen kwam weer uit bed en begon rond te rennen door de slaapzaal. Mevrouw Dik klapte zenuwachtig in haar handen. 'Niet doen, meisjes. Kom, in de bedden. Vooruit nou, jullie lagen net zo lekker!'
Het hielp niet veel, want sommigen kropen nu al onder de bedden door, begonnen dekens af te halen, koffers open te maken en van het ene bed naar het andere te springen.
Gelukkig voor mevrouw Dik was Nanny wat minder gauw van de wijs te brengen. De moeder van Tim was een grote, hartelijke vrouw, die als het nodig was een flinke stem kon opzetten. Meester Vonk had haar niet voor niets gevraagd om mee te gaan. Nanny knipperde een paar keer met het licht en riep: 'In de bedden, meiden! Geen fratsen.'
'Ja maar, de aap van José!' riep Melanie.
'Jùllie zijn een stel apen. Dat beest komt heus wel te voorschijn, ook zonder dat jullie hier met z'n allen oerwoudje spelen.'
'Ik heb hem!' riep José.

Hij was onder de spullen van Carolina terechtgekomen, die zich op haar bovenbed had uitgekleed en haar kleren achteloos naast het bed had laten vallen.
Meester Vonk kwam ook nog even kijken en drukte de meisjes op het hart vooral snel te gaan slapen. 'Hoe beter je morgen uitgerust bent, des te meer geniet je van de schoolreis.' De meisjes knikten allemaal braaf, net als de jongens hadden gedaan toen Vonk even daarvoor hetzelfde verhaal bij hen had gehouden.
Daarna werden de lichten gedoofd. Vonk, Dik en Nanny gingen de trap af naar beneden, liepen door de eetzaal naar de gezellige ruimte bij het haardvuur om daar moe neer te ploffen op de banken. De deur naar de eetzaal lieten ze openstaan. Ze konden dan in elk geval horen als het te dol werd op de slaapzalen. Aanvankelijk viel het mee. Ze hoorden wel wat gegiechel, maar een echte keet werd het niet. Ze stelden net tevreden vast dat het allemaal best meeviel, toen het bij de jongens nogal lawaaierig werd.
Meester Vonk liep erheen en luisterde onder aan de trap. Boven hem was een kussengevecht in volle hevigheid aan de gang. Hij hoorde Jochem schreeuwen: 'Ten aanval! Bombarderen! Moedig zullen wij ten onder gaan, met het kussen in de hand!' De jongens hadden dolle pret. Boven alles uit hoorde hij de aanstekelijke lach van Walter.
Willem Vonk wachtte even. Hij wilde niet meteen alle pret bederven. Na een minuut of vijf stampte hij langzaam en nadrukkelijk de trap op. Boven hem was het nu een geren en gedraaf van jewelste. 'Vonkie! Vonkie!' hoorde hij roepen. De jongens schoten hun bedden in, het licht ging uit en er viel ineens een stilte.
'Zo, heren!' begon meester Vonk. Hij deed het licht weer aan en stapte dreunend naar het midden van de zaal. 'Dit is

dan mooi geweest. Van nu af aan blijft iedereen in zijn bed en hoor ik niets meer.'
Het bleef stil. Niemand durfde iets te zeggen. Vonk stond vlak bij het stapelbed van Jochem en Tjerk. Vanuit Jochems bed hoorde hij een onderdrukt gegiechel en toen viel het hem op dat Jochem wel erg veel ruimte in beslag nam. Meester trok de deken weg en daar lag Hans met een rood hoofd van de ingehouden lach. 'Misschien lig je in je eigen bed gemakkelijker?' zei Vonk.
Hans sprong uit bed en zei rustig: 'Sorry, meester, je was zo vlug boven. Ik haalde het niet meer naar mijn eigen bed, vandaar dat ik bij Jochem was ondergedoken.'
Jochem glunderde, omdat Hans een oorlogsterm gebruikte zonder er zelf erg in te hebben.
'Nu is het welletjes,' zei Vonk en hij probeerde een boze stem op te zetten. Het kostte hem moeite, want hij kon zich goed voorstellen dat de kinderen het heerlijk vonden om nog even te dollen. Met een 'Nu hoor ik echt niemand meer' knipte Vonk het licht weer uit en liep naar beneden. Onder aan de trap bleef hij nog even staan luisteren en ging weer terug naar het haardvuur.
Het bleef niet lang rustig, want de meisjes hadden in de gaten gekregen dat de jongens een kussengevecht hadden gehouden. Op de meisjeszaal vlogen nu ook de kussens naar elkaars hoofd. Mevrouw Dik wilde meteen naar boven stuiven. 'Wacht nog heel even, Clara,' zei Willem Vonk. 'Geef ze even de kans om zich uit te leven en dan zetten we er een punt achter.'
Mevrouw Dik vond het wel moeilijk om te blijven zitten, maar Nanny en Giel waren het met Vonk eens.
'Laat ze maar even uitrazen,' vond Giel. 'Ik ben hier wel wat gewend.'

Na een minuut of vijf herhaalde zich op de meisjeszaal hetzelfde tafereel dat zich een kwartier tevoren bij de jongens had afgespeeld. Mevrouw Dik, die de trap op kwam, meisjes die in paniek hun bed in vluchtten en net deden of er niets aan de hand was.

Daarna werd het langzaam rustig op De Reinekeshof. Meester Vonk moest weliswaar nog een paar keer naar boven omdat de jongens met zaklampen naar de meisjes seinden, maar toen leek het toch eindelijk stil te worden. Nanny, Clara Dik, Giel en Willem Vonk zaten nog even na te praten bij het vuur, terwijl ze hun oren gespitst hadden of er nog iets gebeurde. Na een half uurtje verslapte hun aandacht en waren ze alle vier in de veronderstelling dat de kinderen langzamerhand sliepen.

Sommigen waren inderdaad in slaap gevallen, maar de meesten waren nog klaarwakker en lagen met elkaar te fluisteren. Op de meisjeszaal hadden ze het over de jongens. Carolina bekende dat ze heel erg op Jochem was. 'Maar hij merkt er niks van,' zei ze teleurgesteld. 'Hij vindt liefde maar onzin.'

'Misschien als je een soldatenpakje aantrekt,' giechelde Maaike.

Melanie gaf toe dat ze eigenlijk Hans heel leuk vond en Ankie zag wel wat in Tim.

'Weet je wie ik uit groep zeven het leukste vind?' flapte Sandra eruit. 'Bram.'

Maaike werd helemaal enthousiast. 'Ben jij echt ook op een zevende-groeper?'

Sandra aarzelde. Ze herinnerde zich nog heel goed hoe belachelijk ze het had gevonden dat Maaike op Tjerk was. Zou ze het durven toegeven? Of toch maar zeggen dat het een grapje was? Het was donker en ze lagen eigenlijk heel ver-

trouwelijk met elkaar te praten. 'Ja,' antwoordde ze zacht.
José schoot in de lach en de anderen sisten meteen: 'Ssssst!' Want als José begon te lachen, kon je dat aan de andere kant van De Reinekeshof horen. José stopte proestend haar hoofd onder haar kussen.
'Waarom lach je nou?' vroeg Sandra verontwaardigd.
Van onder haar kussen bromde José: 'Ik kan me best voorstellen dat je op Bram bent, want hij is heel aardig. Maar jij bent zo groot en Bram is nog zo'n klein opdondertje.'
Bijna de hele zaal lag nu te grinniken, vooral toen een van de kinderen voorstelde dat Bram een laddertje mee moest nemen als hij Sandra wilde zoenen.
'Flauw, hoor,' antwoordde Sandra en ze ging boos onder haar deken liggen.
'Weet je wat,' stelde iemand voor. 'We houden op met elkaar te plagen als we op iemand zijn.'
Iedereen vond dat een goed idee. Het was toch juist heel spannend om daarover lekker te kunnen kletsen zonder dat iemand vervelend deed.
Uit het bed van Melanie klonk gekraak. 'Wie wil er chips?' vroeg Melanie.
In een mum van tijd stond bijna de hele zaal om het bed van Melanie. Die haalde uit haar koffer nog twee grote zakken chips en begon royaal uit te delen.
'Zullen we de jongens wat brengen?' stelde Carolina voor.
Het was even stil.
'Dan moeten we door de eetzaal,' zei Ankie, die al rillingen kreeg bij het idee dat ze daar zouden rondsluipen.
'Ik durf best,' fluisterde Carolina. 'Wie gaat er mee?'
Weer was het stil.
'Ik,' zeiden Melanie en Sandra bijna tegelijk.
Even later slopen drie meisjes op hun tenen de trap af. De

anderen wachtten met ingehouden adem op de afloop. Halverwege de trap bleven de drie staan. Carolina was de voorste en tuurde naar de andere kant van de eetzaal. 'De deur staat open,' fluisterde ze. Ze hoorde de zware stem van Vonk en daarbovenuit het hoge stemgeluid van mevrouw Dik.
'Kunnen ze ons van daaraf zien?' vroeg Melanie zacht. Ze begon spijt te krijgen dat ze was meegegaan.
'Nee,' antwoordde Carolina, 'maar wel horen.'
'Ik ga terug,' zei Melanie.
'Kom op, joh!' Carolina pakte de hand van Melanie. 'We hoeven alleen maar over te steken naar de trap van de jongens.'

Melanie haalde even diep adem en besloot toch maar mee te gaan. Uiteindelijk zat Carolina pas in groep zeven. Daar wilde Melanie niet voor onderdoen.
Onder aan de trap wachtten ze even en toen slopen ze onhoorbaar naar de jongens. Die waren ook nog bijna allemaal wakker en de meesten zaten op en bij het bed van Hans. Ze hadden door het raam al lang gezien dat er iets aan de hand was bij de meisjes.
Melanie, Carolina en Sandra werden met gedempte vreugdekreten begroet. Net iets te hard, want de meisjes wilden juist chips gaan uitdelen, toen ze de zware voetstappen van meester Vonk op de trap hoorden.
Iedereen vluchtte zijn eigen bed in. Melanie gooide de zak chips op de deken van Hans en dook weg onder het bed. Carolina en Sandra deden hetzelfde. Hans greep de zak chips en ging er in paniek bovenop liggen. Krakend scheurde de zak nog verder open en Hans voelde hoe zijn hele rug onder de chips kwam te zitten.
Het licht ging aan en Vonk bulderde: 'Wat had ik nou gezegd? We zouden ophouden met dat gedonder en de heren gaan gewoon dóór!'
De kinderen hielden hun adem in. Je kon een speld horen vallen in de slaapzaal. Maar dat hoorde Vonk niet. Ineens klonk er een luid gekraak vanuit het bed van Hans. Die werd gek van de jeuk op zijn rug en probeerde een beetje anders te gaan liggen.
Meester liep naar Hans en vroeg: 'Wat is dat?'
'Niets, meester,' en weer klonk er gekraak.
'Kom uit dat bed!' beval Vonk.
Hans gooide met een wanhopig gezicht zijn deken opzij en klom naar beneden.
'Andere kinderen hebben een knuffeldier!' riep Vonk boos.

'Maar meneer slaapt met een zak chips. Schiet op, maak je schoon in de badkamer.'
Hans verdween naar de badkamer. Meester Vonk trok het laken van het bed en klopte het uit buiten het raam. Daar keek hij recht in de gezichten van de meisjes die bijna allemaal uit hùn raam hingen om te zien hoe het zou aflopen.
'Naar bed jullie!' schalde het over de binnenplaats en razendsnel verdwenen de meisjes naar binnen.
Toen Hans weer in bed lag, stopte de meester hem nog in en hield een flinke preek. Net op het moment dat hij het licht weer wilde uitdoen, viel zijn oog op een voet die onder het bed van Jochem en Tjerk uitstak. 'Wie ligt er onder dat bed?'
Met een rood hoofd kwam Carolina te voorschijn.
'Wat doe je hier?'
'We... eeh... ik heb de jongens chips gebracht.'
Langzamerhand begreep Willem Vonk wat er aan de hand was. Die arme Hans had de chips nog net op tijd willen verstoppen en was erbovenop gaan liggen. Hij vond het moeilijk om niet in lachen uit te barsten, maar wist zich goed te houden.
Ineens zag hij dat Sandra en Melanie ook onder een bed vandaan kwamen. Nu werd hij echt boos en stuurde hen naar de meisjeszaal met de boodschap dat hij zo kwam kijken en dat het dan absoluut stil moest zijn.
De meisjes renden de trap af en liepen recht in de armen van mevrouw Dik en Nanny die hen stonden op te wachten. Mevrouw Dik was ook des duivels en dreigde met naar huis sturen. De meisjes wisten niet hoe gauw ze in hun bed moesten komen en hielden zich verder muisstil.
Op de jongenszaal was het nu ook stil. Meester Vonk bleef nog een tijdje onder aan de trap staan en hij hoorde hoe de

jongens besloten om nu echt te gaan slapen. Frankie probeerde nog even door te gaan, maar toen hoorde meester de stem van Walter die siste: 'Kop dicht!' gevolgd door een doffe dreun en een gesmoorde kreet van Frankie. Willem Vonk schoot in de lach. Walter had vast een flinke duw gegeven tegen de onderkant van Frankies matras en hem een meter de lucht in laten vliegen.
Bij het haardvuur was mevrouw Dik behoorlijk over haar toeren. 'Meisjes op de jongenszaal!' zei ze geschokt.
Gelukkig tilde Nanny er niet zo zwaar aan. Meester Vonk legde uit dat het echt allemaal heel onschuldig was en het alleen maar om chips ging. Toen hij van Hans vertelde, moest mevrouw Dik eigenlijk ook wel lachen.
Na een half uurtje gingen ze nog eens boven kijken. Bijna iedereen sliep nu. Op de jongenszaal was alleen Otto nog wakker. Vonk aaide hem over zijn bol en wenste hem welterusten. Daarna zocht hij zijn kamertje op, aan de andere kant van de binnenplaats. Even later heerste er eindelijk diepe rust op De Reinekeshof.

Een klas om van te houden

De dagen op De Reinekeshof vlogen voorbij. Ze maakten nog een paar flinke wandelingen onder leiding van Giel waarbij ze op een keer door een flinke stortbui werden overvallen. Giel nam hen mee naar een grot waar ze met z'n allen schuilden en zich warmden aan een vuurtje dat meester Vonk had gemaakt. Ze brachten ook nog een bezoek aan een oud kasteel en gingen een middagje zwemmen.
De nachten verliepen een stuk rustiger dan de eerste nacht. De tweede avond had Vonk een kussengevecht tussen de jongens en de meisjes georganiseerd, waarbij de meisjes de jongenszaal mochten bestormen. Jochem had meteen de leiding genomen en de andere jongens met matrassen en kussens een paar prachtige forten laten bouwen. Hij liep tevreden als een veldheer rond en gaf hier en daar een aanwijzing. Toen de meisjes binnenstormden, bleken de forten toch minder sterk te zijn dan ze eruitzagen en in een mum van tijd lag alles overhoop. Na een stevige veldslag, waarbij sommigen niet meer bijkwamen van de slappe lach, werd iedereen weer zijn eigen bed in gedirigeerd en sliepen de kinderen vrij snel. Mevrouw Dik, die het hele kussengevecht-idee van Vonk een beetje vreemd vond, moest toegeven dat het wel had gewerkt.
De derde avond beloofde meester dat ze de volgende avond, dus de laatste, een flinke nachtwandeling zouden maken als ze nu rustig gingen slapen.
'Aha,' zei Walter. 'De toetjestruc.'
'Hoezo?' vroeg Vonk.

‘Dat doe je in de klas toch ook altijd. Als we iets vervelends moeten doen, dan zeg je dat we daarna iets leuks doen. Net als met het eten van mijn moeder.’
Ineens herinnerde Vonk zich dat Walter dat al eens eerder had verteld. Maar de toetjestruc werkte en de laatste avond zouden ze inderdaad een nachtwandeling gaan maken. Eerst zaten ze een hele tijd om het haardvuur. Giel trakteerde op echte Limburgse vlaai. Met z’n allen zongen ze liedjes en Sandra, Ankie en Maaike hadden zelf ook nog een lied bedacht. Eén van de coupletten ging natuurlijk over alles wat er was voorafgegaan aan de schoolreis.

‘We wisten nog niet zeker of we zouden gaan,
want we deden wel een beetje raar,
maar na veel ruzie, actie en veel hels kabaal,
kwam het toch nog dik voor mekaar!’

In een ander couplet werd Giel uitgebreid bedankt en de slotzin van zijn couplet luidde:

‘Maar één ding moet je echt, toch heel goed weten,
Giel wil geen geklooi met het eten!’

Ankie, Sandra en Maaike zongen ook over de eerste avond. Het einde daarvan klonk zo:

‘Maar het ergste was, de chips was ineens zoek,
we vonden hem terug in Hans’ pyjamabroek.’

De meisjes kregen een daverend applaus voor hun lied en toen werd het tijd om naar het bos te gaan. Ze wandelden nu voor de laatste keer over de ‘holle weg’. Walter en Fran-

kie liepen druk te kletsen met een stel zevende-groepers. Tjerk en Jochem liepen samen met Maaike en algauw kwam Carolina erbij. Melanie had Hans opgezocht, die met Tim liep. Toen Ankie er ook nog bij kwam, vond Tim het eigenlijk wel leuk en even later gaven de vier kinderen elkaar een arm. Sandra voerde het hoogste woord in een hele groep kinderen en merkte dat Bram het best leuk vond om bij haar in de buurt te lopen. Michael en Otto sjokten met José achteraan bij Nanny, die haar best deed de drie kinderen een beetje door te laten lopen.
In het bos was het hartstikke donker. Vooral toen meester Vonk voorstelde om de zaklampen uit te doen. De kinderen gingen allemaal wat dichter bij elkaar lopen.
Carolina fluisterde tegen Jochem: 'Ik ben een beetje bang. Mag ik je een hand geven?'
'Ja, natuurlijk,' antwoordde Jochem en hij voelde zich heel flink. Hand in hand liepen ze samen door het bos en Carolina bedacht dat ze dit het allerleukste vond van de hele schoolreis.
Nog één keer kwamen ze op de open plek met de steile hellingen en de smalle sluippaadjes. Iemand stelde voor om weer verstoppertje te doen, maar de meeste kinderen hadden daar geen zin in. Eigenlijk vonden ze het een beetje eng. Mevrouw Dik wist nog een gek spelletje en na een half uurtje zetten ze de tocht voort.
In Groesselt wachtte de kinderen nog een verrassing. Het was al bijna één uur in de nacht, maar de plaatselijke snackbar was nog open.
'We krijgen patat!' riep Otto uitgelaten.
'We zeggen hier friet,' zei Giel, die met de eigenaar had geregeld dat de zaak nog open was.
Ze kregen allemaal een grote zak en zelfs Otto moest toe-

geven dat de Limburgse friet net zo goed smaakte als die van zijn vader.
Thuisgekomen op De Reinekeshof tolde iedereen zowat zijn bed in. Zelfs de meisjes hadden geen puf meer om elkaar te vertellen met wie ze gelopen hadden. Dat bewaarden ze dan maar tot de volgende dag op de terugreis.
Ook de jongens waren ontzettend moe. Het enige dat Walter nog kon uitbrengen was: 'Meester, dat was een lekker toetje.' Daarna viel hij als een blok in slaap.
Na een half uurtje liepen Willem Vonk en Clara Dik nog even door de zalen. Iedereen sliep als een roos. Toen Clara naar beneden ging, bleef de meester nog even in de jongenszaal staan. Het was een heldere nacht en door de gordijnen kwam een zwak schijnsel van de maan. Willem Vonk keek naar de gezichten van de slapende kinderen. Hij zag zijn groep acht en de kinderen die volgend jaar bij hem in de klas zouden komen.
Nog een paar weken en het schooljaar was afgelopen. Zodra ze terug waren van de schoolreis, moesten ze uitgebreid gaan denken over een leuk afscheidstoneelstuk. Meestal verzon Willem Vonk samen met de kinderen een verhaal en dan maakten ze zelf een toneelstuk. Dat lukte dit jaar vast en zeker met deze kinderen, die gauw enthousiast voor iets waren.
Het zou hem best moeilijk vallen om van deze klas afscheid te nemen. Voor de kinderen zelf was het ook niet gemakkelijk. De meesten zaten al jaren bij elkaar. Ze waren gewend om voor elkaar op te komen en samen van alles te ondernemen.
De laatste avond, als ze echt afscheid namen van de basisschool, zou er vast flink gehuild worden. Wanneer er eenmaal eentje begon, was algauw de halve klas in tranen.

Over een paar maanden zouden ze eindelijk 'groot' zijn en in de brugklas zitten, waar ze snel zouden ontdekken hoe klein ze weer waren. In het begin zou Willem Vonk hen nog vaak terugzien op de basisschool. Even langs komen om gedag te zeggen, maar na een paar maanden zou dat overgaan. De brugklas eiste dan al hun aandacht op en zo langzamerhand gingen ze de basisschool wel erg kinderachtig vinden. Hij was dan inmiddels ook weer gewend geraakt aan zijn nieuwe klas.
Het zou anders zijn, zoals elk jaar weer anders was. Een jaar lang zouden ze weer samen optrekken. Samen plezier hebben, boos zijn en af en toe ook treurig.
Willem Vonk schrok op uit zijn gepeins, toen Walter zich omdraaide in zijn slaap en mompelde: ''t Zijn de sappen meester, de sappen.' De meester grinnikte zacht. Langzaam liep hij de trap af. Ook beneden was iedereen al naar bed.
Hij deed de lichten uit en liep de binnenplaats van De Reinekeshof over. In het midden bleef hij staan en keek naar boven, naar de ramen waarachter de kinderen sliepen. Willem Vonk glimlachte en dacht: Het is een klas om van te houden.

Over de auteur

Jacques Vriens is geboren in 1946. Hij is getrouwd en heeft twee kinderen en drie katten. Eigenlijk wilde hij het liefst naar de toneelschool gaan, maar toen dat niet lukte, ging hij voor onderwijzer studeren. Hij is jarenlang directeur geweest van een basisschool in Noord-Brabant en houdt zich nu alleen nog bezig met het schrijven van boeken.
Zijn allereerste boek, *Die rotschool met die fijne klas*, publiceerde hij in 1976. Het gaat over een onderwijzer die ruzie krijgt met het hoofd van de school en met ziekteverlof wordt gestuurd. Maar zijn klas pikt dat niet...
In dit eerste boek merk je al heel goed hoe Jacques Vriens denkt over onderwijs. Hij vindt dat kinderen met plezier naar school moeten kunnen gaan. De juf of meester kan daar heel veel aan doen door te zorgen voor een gezellige sfeer in de klas. Natuurlijk zit je ook op school om te leren, maar Jacques Vriens is ervan overtuigd dat dat veel gemakkelijker gaat als je je op school thuis voelt en extra geholpen wordt wanneer je iets niet snapt of problemen hebt in de groep.
Verder vindt hij dat kinderen moeten leren om voor hun eigen mening uit te komen en niet alles goed moeten vinden wat grote mensen zeggen.

Jacques Vriens heeft inmiddels meer dán 20 kinderboeken geschreven. Zijn bekendste boeken zijn misschien wel de voorleesboeken *O denneboom*, *Dag Sinterklaasje* en *Drie ei is een paasei*.
De *Tommie en Lotje*-serie is bedoeld om aan kleuters voor te lezen. Verder heeft hij voor beginnende lezers ook een aantal leuke, kleine boekjes geschreven: *Ik wil mijn poes terug*, *Geen schoenen voor Bram*, *Zaterdagmorgen/Zondagmorgen* (Zilveren Griffel) en *Tinus-in-de-war* (Zilveren Griffel).
Jacques Vriens zegt dat hij alleen maar kan schrijven over dingen die hij zelf heeft meegemaakt. Vandaar dat veel boeken van hem zich ook op of rondom de school afspelen, zoals *Het achtste groepie tegen het soepie*. Daarin wordt het eeuwige geruzie tussen groep acht en zeven op school beschreven. Maar het gaat dit jaar zó ver, dat de jaarlijkse schoolreis in gevaar dreigt te komen.
In *Een stelletje mooie vrienden* wordt bij David thuis ingebroken. Zijn vrienden denken dat de politie de dader niet zal kunnen vinden en daarom gaan ze zelf op onderzoek uit.
In *Een bende in de bovenbouw* (getipt door de Nederlandse Kinderjury) krijgt een klas te maken met een nieuwe meester en een nieuwe klasgenoot. De meester lijkt wel geschikt, maar dat kan niet gezegd worden van de bazige nieuwe klasgenoot.
Ha/Bah naar school* is een boek voor bovenbouwers en brugpiepers. Er staan allemaal verhalen in over de leuke en niet-leuke dingen en dagen van school: over de schooltoets, over een strenge invalster en over de nieuwe directeur in de maling nemen.
Meester Siem gaat ieder jaar met zijn achtste groep een

week naar het eiland. En ieder jaar is het weer raak... Keten op de slaapzaal, nachtelijke strandwandelingen, de vuurtoren beklimmen. Hoe zal het dit jaar gaan? Dat kun je lezen in *En de groeten van groep acht.*
In *Ik doe niet meer mee* heeft Pieter genoeg van zijn begrijpende ouders. Hij verschanst zich met chips, cola, pindakoeken en zijn lievelingsboeken op zijn kamer en weigert zijn vesting te verlaten. Maar hoe moet dat dan als hij naar de w.c. moet? Er staan nog negen andere spannende, ontroerende, humoristische en realistische verhalen voor 11-plussers in deze bundel.
De vader-en-moeder-wedstrijd gaat over Nikkie en haar ouders die gaan scheiden. Nikkie moet kiezen tussen haar beide ouders en dat wil ze helemaal niet. Samen met vriendje Jan spijbelt ze van school om opa om raad te gaan vragen.
In *Bonje in het bonshotel* (getipt door de Nederlandse Kinderjury) is Ties de hoofdpersoon. Zijn ouders hebben een hotel en daardoor moet Ties vaak alleen spelen. Als hij hoort dat er in het hotel van alles wordt gestolen, gaat hij op onderzoek uit, samen met zijn vriendinnetje Mitsie. Ook bij dit boek weet Jacques Vriens waar hij over praat. Zijn ouders hebben namelijk vroeger zelf een hotel gehad en Jacques weet nog dat hij die vele w.c.'s altijd heel spannend en leuk vond.
Toneelspelen is nog steeds een van zijn grote hobby's, net als lezen, wandelen èn... schrijven.

Inhoud

melanie

meester Vonk

Otto

Frankie

mevrouw Wik

Michael

Sandra

Walter